D0319593

afgeschreven

Het grote boek van Akimbo in Afrika

Alexander McCall Smith

Het grote boek van Akimbo in Afrika

Met illustraties van Hugo van Look

Uit het Engels vertaald door Maria Postema

Van Goor

ISBN 978 90 475 1172 4
NUR 282

Uitgeverij Unieboek | Het Spectrum bv, postbus 97, 3990 DB Houten

oorspronkelijke titels *Akimbo and the Elephants*, *Akimbo and the Lions*, *Akimbo and the Crocodile Man*
oorspronkelijke uitgave © 1990 Egmont Books Ltd, Londen, 1992 Bloomsbury USA, 1993 Egmont Books Ltd, Londen

www.van-goor.nl
www.unieboekspectrum.nl

tekst Alexander McCall Smith
vertaling Maria Postema
illustraties Hugo van Look
omslagontwerp Marieke Oele
zetwerk binnenwerk Mat-Zet bv, Soest

Inhoud

Akimbo en de krokodillenman

Akimbo en de olifanten

Dit boek is voor Alan en Barbara Hannah,
en voor Jeremy en Kathryn

Akimbo's wens

Stel je eens voor dat je in hartje Afrika woont. Stel je voor dat je ergens woont waar de zon elke ochtend opkomt boven blauwe bergen en enorme open vlaktes met heel hoog gras, nog hoger dan een mens. Stel je voor dat je ergens woont waar nog olifanten leven.

Akimbo woonde op zo'n plek, aan de rand van een groot wildpark in Afrika. Dat is een plek waar wilde dieren veilig kunnen leven. Op de open vlaktes leefden grote kuddes antilopen en zebra's. In de wouden en rotsachtige heuvels leefden luipaarden en bavianen. En dan had je natuurlijk nog de grote olifanten, die langzaam over de graslanden en tussen de bomen door trokken.

De vader van Akimbo werkte in het wildpark. Soms moest hij een vrachtwagen besturen, soms bediende hij de radio, of hij hielp mee om de vrachtwagens te repareren. Er was altijd wel iets te doen.

Af en toe had Akimbo een geluksdag, en dan nam zijn vader hem mee naar diens werk. Akimbo vond het geweldig als hij met de mannen mee mocht als ze heel diep het park in gingen. Dan moesten ze bijvoorbeeld een hek herstellen of een kapotte vrachtauto ophalen. Maar ze maakten ook wel eens gewoon een ronde door het bos om te kijken hoe het met alle dieren ging.

Soms zagen ze heel spannende dingen tijdens hun tochten.

'Kijk, daar,' zei zijn vader dan. 'Sst, niets zeggen! Alleen maar kijken.'

En dan volgde Akimbo zijn vaders blik en zag een wild dier eten, slapen of op zijn prooi af sluipen.

Op een dag, toen ze samen door het woud liepen, greep zijn vader Akimbo plotseling bij de arm en fluisterde dat hij moest blijven staan.

'Wat is er?' vroeg Akimbo zo zachtjes als hij maar kon.

'Achteruit. Heel langzaam. Dezelfde weg terug.'

Pas toen hij voetje voor voetje achteruit schuifelde, zag Akimbo wat er aan de hand was. Op een open plek verderop lagen twee luipaarden. Een van de dieren had iets in de gaten gekregen en kwam met zijn neus in de lucht snuffelend overeind. Het andere lag nog te slapen.

Gelukkig stond de wind de verkeerde kant op, anders had de luipaard hen geroken. En dan waren ze pas echt in groot gevaar geweest.

'Dat scheelde maar een haartje,' zei zijn vader toen ze weer veilig terug waren. 'Ik moet er niet aan denken wat er had kunnen gebeuren als ik ze niet op tijd had gezien.'

Akimbo's lievelingsdieren waren niet de luipaarden, en zelfs niet de leeuwen. Hij keek het allerliefst naar de olifanten. Daar moest je ook niet te dicht bij in de buurt komen, maar ze leken vriendelijker dan veel andere dieren. Akimbo hield van hun enorme, logge lijven. Hij hield van de manier waarop ze langzaam hun slurf alle kanten op bewogen terwijl ze over de vlaktes tussen de stukken bos door sjokten. En hij hield ook van hun getrompetter: een kort, verbaasd en heel grappig geluid.

Vroeger waren er heel veel olifanten in Afrika geweest, maar er was heel lang meedogenloos op ze gejaagd. Nu werden het er steeds minder.

Akimbo begreep niet waarom iemand op een olifant zou willen jagen en hij vroeg aan zijn vader waarom mensen dat deden.

'Het gaat om hun slagtanden. Die zijn van ivoor, en ivoor is heel veel geld waard. Het wordt gebruikt voor beeldjes en sieraden. Sommige rijke mensen verzamelen het en vinden het leuk om op te scheppen met slagtanden waar mooie figuren van gesneden zijn.'

'Maar het is zo gemeen,' zei Akimbo. 'Ik ben blij dat het niet meer gebeurt.'

Akimbo's vader was even stil.

'Ik ben bang dat het nog steeds gebeurt. Er zijn nog steeds mensen die op olifanten jagen, zelfs hier in het wildpark.'

'Kun je die mensen dan niet tegenhouden?' vroeg Akimbo.

Zijn vader schudde zijn hoofd. 'Dat is heel moeilijk. Het

wildpark is meer dan honderdvijftig kilometer lang. We kunnen niet de hele tijd overal tegelijk zijn.'

Akimbo zweeg. Het idee dat er op olifanten gejaagd werd voor hun slagtanden maakte hem razend. Hij vroeg zich af of er op een dag geen een olifant meer over zou zijn in Afrika. Dan zouden ze alleen nog foto's van ze hebben, en het ivoor van hun slagtanden, natuurlijk. Dan zouden de wildparken leeg zijn en het beeld van olifanten die de vlaktes oversteken alleen nog een herinnering.

'Ik wil niet dat dat gebeurt,' zei Akimbo tegen zichzelf. 'Ik wil dat de olifanten blijven.'

Moederolifant

Een paar weken later werd Akimbo weer herinnerd aan wat zijn vader over de stropers had gezegd.

'We gaan naar het park om een drinkplaats te controleren,' zei zijn vader. 'Heb je zin om mee te gaan?'

'Ja, natuurlijk,' zei Akimbo blij.

'Het wordt een stevige rit,' waarschuwde zijn vader. 'We moeten een heel eind over een stuk waar niet eens wegen zijn.'

'Dat maakt me niets uit. Ik kan me goed vasthouden.'

Akimbo's vader had gelijk. Het was geen gemakkelijke tocht en het was ook nog eens heel erg warm. Om twaalf uur 's middags stond de zon op haar hoogste punt en het was bijna niet uit te houden in de cabine van de vrachtauto. Akimbo veegde het zweet van zijn gezicht en dronk met grote slokken uit de waterflessen, maar hij klaagde niet.

Ze kwamen heel langzaam vooruit, want er waren allerlei stenen en kuilen die de auto konden beschadigen als ze er te hard overheen zouden rijden. Af en toe schraapte er een verborgen rotsblok met een akelig, knarsend geluid langs de onderkant van de auto en dan krompen ze allemaal in elkaar. Maar er was telkens niets kapot en daarna gingen ze weer verder.

Tijdens de hete middaguren wagen maar weinig dieren zich uit de schaduw van de bomen en het struikgewas. Maar

Akimbo zag een kleine kudde zebra's die snel naar een veilige plek galoppeerde en een dikke stofwolk opwierp.

Toen sloeg een van de mannen in de laadbak van de vrachtauto plotseling met zijn vuist op het dak van de cabine en wees naar links. Akimbo's vader zette de auto stil.

'Wat is er?' riep hij uit het raampje.

De man boog zich de cabine in.

'Gieren. Hele zwermen.'

De ogen van alle anderen volgden de blik van de man. Eerst zag Akimbo niets, maar toen hij zijn hals uitstrekte ontdekte hij de vogels die in de hete, stille lucht cirkelden. Zelfs van deze afstand zag hij dat het er heel veel waren, en dat betekende dat ze op iets groots af waren gekomen.

'Denk je dat de leeuwen net gegeten hebben?' vroeg Akimbo's vader aan een van de andere mannen.

De man dacht even na. 'Het zou kunnen. Maar daar zijn het wel erg veel gieren voor. Zullen we maar even gaan kijken?'

Akimbo's vader knikte, draaide de vrachtauto naar links en reed in de richting van de cirkelende vogels. Na een hobbelige rit van een kwartier zagen ze het akelige tafereel waar ze stiekem allemaal al bang voor waren geweest.

De olifant lag op haar zij, zoals ze was gevallen. Toen de auto aan kwam rijden vlogen er vier of vijf gieren met grote vleugelslagen op, boos dat ze tijdens hun maaltijd werden gestoord. Akimbo's vader keek woedend toen hij remde en de motor afzette. Zonder iets te zeggen deed hij zijn portier open en beende met grote stappen naar de dode olifant.

Akimbo bleef zitten waar hij zat. Hij vond het te naar om naar het grote dier te kijken. Hij wist dat de olifant gedood was om haar slagtanden te kunnen stelen.

Akimbo keek weg. Verderop stond een groepje bomen en opeens zag Akimbo iets bewegen. Vervolgens zwaaiden de struiken ernaast heen en weer.

Akimbo tuurde ingespannen om het beter te kunnen zien. Hij wist zeker dat er een dier in het bosje zat, maar het was moeilijk te zien door de dichte takken en bladeren. Hij hoopte dat het geen waterbuffel was, want die konden gevaarlijk zijn.

Hij zag weer iets bewegen en dit keer keek Akimbo precies naar de goede plek. Hij duwde snel het portier van de cabine open, sprong de auto uit en rende naar zijn vader en de andere mannen.

'Kijk!' riep hij. 'Kijk daar.'

De mannen draaiden zich om en op dat moment kwam

de babyolifant de struiken uit. Hij deed een paar stappen en stopte toen, alsof hij niet goed wist wat hij moest doen. Hij stak zijn slurf in de lucht en snuffelde. Toen liet hij hem weer zakken en bleef heel stil staan. Akimbo zag dat hij een scheur in zijn rechteroor had.

'Dat is haar kalf,' zei zijn vader. 'Het is nog heel jong.'

Ze staarden een tijdje naar het kalf. Het kleine olifantje was duidelijk in de war. Het zag zijn moeder roerloos op de grond liggen en wilde naar haar toe. Maar tegelijkertijd zei zijn instinct dat hij niet in de buurt van die vreemde mannen moest komen.

'Kunnen we voor hem zorgen?' vroeg Akimbo.

Akimbo's vader schudde zijn hoofd. 'Nee. De kudde komt wel weer terug. Als we hem achterlaten, wordt hij opgehaald door een andere vrouwtjesolifant.'

'Maar hij is nog zo klein. Kunnen we hem niet meenemen naar het dorp en voor hem zorgen?'

'Het komt wel goed met hem,' zei Akimbo's vader. 'We kunnen ons er het beste niet mee bemoeien.'

Ze liepen terug naar de auto. Het olifantje keek van een afstandje toe en deed een paar stappen achteruit toen ze langskwamen. Toen de motor aanging zag Akimbo hem terugrennen naar de beschutting van de bomen.

'Dag,' mompelde Akimbo heel zachtjes. 'Het ga je goed.'

De auto reed weg. Akimbo keek nog één keer achterom en zag dat de gieren, die hoog in de lucht hadden gecirkeld, zich langzaam naar de grond lieten zakken.

Gestolen ivoor

De dagen daarna moest Akimbo telkens weer aan het kleine olifantje denken. Hij vroeg zich af of het al was opgehaald door een andere olifant uit de kudde, of dat het in zijn eentje was achtergebleven en gestorven. Hadden de stropers twee olifanten gedood in hun wrede en hebzuchtige jacht naar ivoor?

Hij wist dat zijn vader en de andere wildopzichters hun best deden om de jagers tegen te houden, maar ze leken niet echt iets te kunnen doen.

'Als ik de baas was,' zei hij tegen zichzelf, 'zou ik ze pakken en ze eens een flink lesje leren. Als niemand anders het doet, dan hou ik ze zelf wel tegen.'

Hij dacht er goed over na. Het was niet eerlijk dat de stropers hier ongestraft mee wegkwamen. Hij moest iets doen.

'Waar komen de stropers vandaan?' vroeg hij op een avond aan zijn vader. Die haalde zijn schouders op. 'Overal en nergens. Maar we weten dat er een groep in het dorp verderop woont. We kunnen het niet bewijzen, maar we denken dat zij de schuldigen zijn.'

'Wat doen ze met de slagtanden?' vroeg Akimbo.

Zijn vader zuchtte. 'Die verstoppen ze. Er komen handelaren uit de steden die ze kopen. Die smokkelen de slagtanden mee naar de stad en daar worden ze bewerkt. Dan worden er kettingen en beeldjes van gemaakt.'

'Maar krijgen jullie de stropers dan nooit te pakken?'

'Soms wel. Dan leveren we hen uit aan de politie. Maar de stropers zijn heel sluw, en ook nog eens heel slim.'

Akimbo draaide zich om. 'Ik ben ook slim,' mompelde hij zacht. 'En ik weet zeker dat ik net zo sluw kan zijn.'

'Zei je iets?' vroeg zijn vader.

'Nee hoor,' antwoordde Akimbo. Maar op het moment hij dat olifantje tevergeefs had zien wachten tot zijn moeder zou opstaan, had hij al besloten dat die stropers ervan langs zouden krijgen.

Akimbo wist dat hij in het wildpark zelf nooit iets tegen de stropers zou kunnen beginnen. De bendes kwamen 's nachts en waren gewapend. Ze sloegen snel en zo geruisloos mogelijk toe en verdwenen dan weer in het bos. Af en toe kwamen de opzichters hun sporen tegen en zetten ze de achtervolging in, maar meestal waren ze te laat.

Hij bedacht van alles, maar er zat geen enkel goed plan bij. Als het geen zin had om hier op de stropers te wachten, dan ging *híj* toch naar het dorp om hen te zoeken? Op die manier zou hij het bewijs kunnen verkrijgen om hier voor eens en altijd een eind aan te maken.

Aan de rand van het opzichtersdorp stond een opslagschuurtje. Akimbo was er nog maar één of twee keer binnen geweest, want het gebouwtje zat altijd op slot en zijn vader hoefde er bijna nooit heen. Hier bewaarden de wildopzichters alle spullen die ze in beslag namen als ze een keer een stel stropers betrapten.

Het was een akelige verzameling. Er lagen wrede strikken van prikkeldraad, die zich als een strakke strop om de poot van een dier sloten zodra het in de verstopte lus stapte. Er lagen geweren, speren en patroonbanden vol kogels. Maar het ergst vond Akimbo de delen van de dieren die door de stropers waren gevangen. Naast hoorns en huiden lagen hier ook de trofeeën die het allergewildst waren: olifantslagtanden.

Veel van die spullen werden hier bewaard voor als er bezoekers kwamen, zodat die met eigen ogen konden zien wat de stropers deden. Sommige dingen werden ook bewaard in de hoop dat ze als bewijs zouden kunnen dienen als de stropers betrapt werden. Maar dat kwam maar zo zelden voor dat er een steeds dikkere laag stof op de slagtanden en strikken kwam te liggen.

Die nacht, toen de rest van het kamp lag te slapen, glipte Akimbo zijn kamer uit en rende door het opzichtersdorp naar de voorraadschuur. In het maanlicht zag hij nog net de vorm van het gebouw tegen de nachtelijke hemel. Op een be-

schut, donker plekje bleef hij even staan om te kijken of er echt niemand was, en toen stoof hij over het pad tot hij voor de deur van de schuur stond. Zijn vaders sleutelbos voelde zwaar in zijn broekzak. Hij had hem stiekem uit zijn vaders overall gevist toen zijn ouders in de keuken waren. Hij had er wel een rotgevoel over, maar hij had tegen zichzelf gezegd dat hij niet iets voor zichzelf stal.

Nu probeerde hij alle sleutels een voor een uit in het slot van de opslagschuur. Het was een tijdrovend karwei. Ondanks de maan was het te donker om veel te kunnen zien en de sleutels die hij al had gehad raakten de hele tijd weer door de war met de sleutels die hij nog moest.

Op een gegeven moment liet hij de hele bos met een hard, rinkelend geluid vallen, maar er werd niemand wakker.

Eindelijk kwam er beweging in het slot en na nog een laatste draai ging de deur open. Akimbo stapte naar binnen en trok zijn neus op toen hij de rottende geur van de onbewerkte huiden rook. Daar, in een hoekje, lag een kleine slagtand die slordig doormidden was gezaagd. Akimbo raapte hem op, voelde even of hij niet te zwaar was en liep ermee de schuur uit. Hij haalde het kaartje eraf, deed de deur weer op slot en sloop weg, als een stroper die er met zijn buit gestolen ivoor vandoor gaat.

De tegenstander

'Ik wil graag weer eens naar het dorp,' zei Akimbo de volgende ochtend tegen zijn ouders.

Zijn vader keek verbaasd op.

'Waarom? Daar is toch niks leuks te doen voor jou?'

'Mato woont in het dorp. Die heb ik al heel lang niet gezien en ik wil weer een keer bij hem op bezoek. De laatste keer dat ik er was, zei zijn tante dat ik best een paar dagen bij hen mocht logeren.'

Akimbo's vader haalde zijn schouders op en keek naar Akimbo's moeder.

'Als je echt graag wilt dan mag het wel,' zei ze. 'Maar je moet wel lopen. Het is een fikse wandeling, minstens drie uur, misschien nog wel langer. En denk erom dat je de tante van Mato niet tot last bent.'

Akimbo voelde zich alweer rot. Hij vond het niet leuk om tegen zijn ouders te liegen, maar als hij zou vertellen wat hij van plan was, zouden ze vast en zeker zeggen dat hij niet mocht gaan. En íémand moest toch een keer iets doen tegen de stropers? Anders zou er nooit een eind komen aan de olifantenjacht.

Zijn moeder had gelijk: het was een pittige wandeling. En met het stuk ivoor in een zak over zijn schouder vond Akimbo het nog zwaarder dan hij had gedacht. Hij moest om de paar minuten even stilstaan om uit te rusten en de zak van zijn schouders te laten glijden tot zijn vermoeide armspieren weer een beetje waren bijgekomen. Daarna hees hij de zak weer omhoog en liep verder, maar niet over de hoofdweg, want hij wilde geen mensen tegenkomen.

Toen was hij eindelijk bij het dorp. Akimbo liep niet meteen naar de huizen toe, maar zocht eerst in het bos naar een goede verstopplek. Uiteindelijk vond hij een leeg termietennest. Daar duwde hij de zak in en daarna legde hij er nog een paar dode takken overheen. Het was een perfecte plek.

In het dorp liep hij meteen naar het huis van Mato. Mato woonde bij zijn tante. Zij was verpleegster en had de leiding over de kleine ziekenpost aan de rand van het dorp. Mato keek een beetje verbaasd toen hij Akimbo zag, maar hij vond het heel leuk dat hij er was en nam hem mee naar de keuken voor een beker water.

'Ik heb je hulp nodig,' zei Akimbo tegen zijn vriend. 'Ik zoek iemand die een stuk ivoor van mij wil kopen.'

Mato's ogen werden groot van verbazing.

'Maar hoe kom je daar dan aan?' stamelde hij. 'Heb je dat gestolen?'

Akimbo schudde zijn hoofd. Hij liet Mato zweren het tegen niemand te zeggen en vertelde hem over zijn plan. Mato dacht er even over na en zei toen wat hij ervan vond.

'Dat lukt je nooit,' zei hij ronduit. 'Dat levert je alleen maar narigheid op, en verder niets.'

Akimbo schudde zijn hoofd.

'Ik wil het toch proberen.'

Daarna vertelde Mato met tegenzin dat er een man in het dorp woonde van wie iedereen dacht dat hij niet deugde.

'Als ík iets gestolen zou hebben wat ik wilde verkopen,' zei hij, 'dan zou ik naar hem toe gaan. Hij heet Matimba, en ik zal je laten zien waar hij woont. Maar ik ga niet mee naar binnen. Dat zul je helemaal zelf moeten doen.'

De eerste keer dat Akimbo naar het huis ging, was Matimba er niet. Maar toen hij een uur later langskwam, kreeg hij te horen dat hij bij de achterdeur moest wachten. Na een minuut of tien ging de deur open en keek er een forse man met een baard naar buiten.

'Ja?' zei hij kortaf en achterdochtig.

'Ik zou graag even met u willen praten,' zei Akimbo beleefd.

'Praat maar,' snauwde Matimba.

Akimbo keek over zijn schouder.

'Ik heb iets te verkopen en ik dacht dat u misschien wel geïnteresseerd zou zijn.'

Matimba begon te lachen. 'Jíj wilt iets aan míj verkopen?'

Akimbo deed alsof hij Matimba's gegrinnik niet hoorde.

'Ja. Hier is het.'

Toen hij de ivoren slagtand uit Akimbo's zak zag steken, hield Matimba op met lachen.

'Kom binnen. En neem die tas mee.'

Binnen moest Akimbo op een stoel gaan zitten terwijl Matimba de slagtand bestudeerde. Hij hield hem in het licht, rook eraan en wreef erover met zijn wijsvinger. Toen legde hij hem op tafel en keek Akimbo doordringend aan.

'Hoe kom je daaraan?' vroeg hij.

‘Gevonden,’ zei Akimbo. ‘Ik heb een heleboel slagtanden gevonden. En ook een paar hoorns van neushoorns.’

Toen Akimbo over de neushoorns begon, kneep Matimba zijn ogen tot spleetjes. Die hoorns waren erg gewild bij smokkelaars en konden aan de kust heel veel geld opbrengen. Als deze jongen er echt een paar heeft, dacht Matimba bij zichzelf, kan ik ze vast voor een habbekrats van hem aftroggelen.

‘Waar heb je die dan gevonden?’

‘Ze waren verstopt bij een rivier. Ik denk dat ze daar neergelegd zijn door een stroper die betrapt is en ze toen niet meer kon ophalen.’

Matimba knikte. Dat kwam inderdaad wel eens voor, en nu was deze jongen zomaar over een schat gestruikeld. Hij keek nog eens naar de slagtand. Hij zou dat joch nu wat geld geven en beloven dat hij meer zou krijgen als hij Matimba de rest liet zien.

‘Heel goed dat je naar mij toe bent gekomen. Ik wil die dingen wel van je kopen.’

Akimbo hield zijn adem in. Nu moest hij zijn eis stellen.

‘U mag ze hebben. Ik hoef er geen geld voor.’

Matimba’s mond viel open. Hij keek nog eens naar de jongen en vroeg zich af of die knul wel goed bij zijn hoofd was.

‘Ik wil olifantenjager worden. Als u me met een paar stropers op pad stuurt zodat ik kan leren hoe het moet, dan laat ik u zien waar de slagtanden en hoorns verstopt zijn.’

Matimba zweeg. Hij staarde een tijdje naar Akimbo en vroeg zich af of hij de jongen kon vertrouwen. Toen won zijn hebzucht het van zijn voorzichtigheid en hij stemde in met Akimbo's voorstel. Ach ja, jongens vonden stropen nou eenmaal heel spannend. Akimbo mocht het best leren.

'Je mag met mijn mannen mee,' zei hij.

Akimbo voelde een golf van opwinding. Matimba had 'mijn mannen' gezegd! Hij had de leider van een stropersbende gevonden. Zijn plan had gewerkt – tot nu toe dan. Nu werd het pas echt gevaarlijk.

De jacht

Matimba zei tegen Akimbo dat hij de volgende avond terug moest komen. Hij hoefde niets mee te nemen en moest erop rekenen dat hij twee of drie dagen weg zou blijven. De mannen zouden voor het eten zorgen.

'Ik hoop maar dat je sterk genoeg bent,' zei hij met een bedenkelijk gezicht. 'En ik hoop ook dat je ouders je niet komen zoeken.'

Akimbo stelde hem gerust, maar Matimba luisterde al niet meer. Hij had de slagtand weer gepakt en begon die met een doek op te poetsen. Akimbo keek nog een keer achterom voor hij de kamer uit liep. Hij hoopte dat het thuis niet meteen zou opvallen dat de slagtand uit het schuurtje was verdwenen. Hij zou heus nog wel opbiechten dat hij hem had meegenomen, maar dat wilde hij pas doen als hij zijn plan had uitgevoerd. Als het mislukte, zou het geen pretje worden om te moeten bekennen dat hij de slagtand aan de leider van een stropersbende had gegeven.

Mato maakte zich nog steeds zorgen. Toen ze naast elkaar op hun slaapmatjes lagen, zei hij tegen Akimbo: 'Je bent niet goed snik. Je moet meteen naar huis gaan en tegen je vader zeggen wat je hebt gedaan.'

Akimbo vertelde over het babyolifantje dat ze hadden gevonden, en hoe het op zijn moeder had gewacht.

‘Straks zijn er helemaal geen olifanten meer over in Afrika. Dat mogen we niet laten gebeuren. Ik móét iets voor ze doen.’

Mato bleef even stil toen Akimbo was uitgepraat.

‘Nou, goed dan. Dan moet ik je denk maar heel veel succes wensen.’

‘Dank je wel,’ zei Akimbo. Toen viel hij in slaap, moe van de lange wandeling en zonder nog het geblaf van de honden in het dorp of het getsjirp van de krekels te horen. Mato maakte zich zorgen over zijn vriend en lag nog een tijdje wakker, maar toen viel ook hij in slaap.

De volgende dag ging akelig langzaam voorbij. Toen de zon eindelijk achter de heuvels zakte, wist Akimbo dat het tijd was om naar Matimba’s huis te gaan. Hij was de eerste, maar even later arriveerde er een aantal mannen. Ze keken Akimbo argwanend aan en zeiden zacht iets tegen Matimba. Daarna leken ze het goed te vinden dat hij erbij was.

De groep bestond uit vijf mannen. Hun leider was een kleine man, die mank liep. Hij gaf bevelen aan de anderen, die hem snel en zonder meer gehoorzaamden. Toen het tijd was om te vertrekken, zei hij tegen Akimbo dat die vlak achter hem moest blijven lopen en niets meer mocht zeggen als ze eenmaal onderweg waren.

‘Ik wil dat je je mond houdt. Als je precies doet wat ik zeg, overkomt je niks. Begrepen?’

Akimbo knikte. De andere mannen waren klaar en ze

glipten het dorp uit, over een pad dat door het dichte gras naar de heuvels in de verte liep. Achter die heuvels lag het wildpark, en diep in het park lagen de bossen waar de olifanten leefden. Ze waren op weg!

Ze liepen de hele nacht. Akimbo was het wel gewend om lang te lopen, maar hij werd moe omdat de mannen zo snel gingen. Hij móést hen bijhouden, ook al deden zijn voeten zeer en zou hij het liefst een dutje doen in het gras.

Toen de zon opkwam, waren ze al in het wildpark. Nu het licht was, slopen ze heel voorzichtig verder, dwars door de dichte begroeiing. Akimbo vroeg zich af of ze na de lange nacht ook nog de hele dag zouden blijven lopen. Wanneer moesten ze dan slapen?

Plotseling maakte de leider een handgebaar en de mannen bleven staan.

'Hier rusten we uit,' zei hij zacht. 'Zoek een goede slaapplek. Vanavond gaan we verder.'

Akimbo plofte op de grond in de beschutting van een kleine doornstruik. De grond was hard, maar hij was zo moe dat hij lekkerder lag dan in een zacht donsbed. Hij deed zijn ogen dicht in het felle ochtendlicht en viel binnen een paar seconden in slaap.

Hij voelde de hand van een van de mannen op zijn schouder.

'Tijd om te vertrekken,' fluisterde een stem. 'We gaan.'

Akimbo kwam overeind. Zijn lichaam deed pijn van het slapen op de harde grond en zijn keel was kurkdroog. Een van de mannen gaf hem iets te drinken uit de waterfles die hij bij zich had. Daarna kreeg Akimbo een groot stuk gedroogd vlees dat hij tijdens het lopen kon opeten. Het vlees was taai en lastig te kauwen, maar Akimbo viel er hongerig op aan.

Het was al bijna donker toen ze weer op weg gingen. Ze kwamen maar langzaam vooruit over het ruige terrein vol hoog, dicht gras. Akimbo had geen flauw idee waar ze waren, maar hij vermoedde dat ze in de buurt kwamen van de plek waar ze de olifanten waarschijnlijk zouden vinden. Toen ze die ochtend hun kamp hadden opgeslagen had hij in de verte de bossen al gezien.

Een paar keer schrokken er wilde dieren op toen ze langskwamen. Vlak voor hen sprong een antilope uit haar schuilplaats, die daarna in paniek wegvluchtte door het struikgewas. Even later lieten ze een ander groot dier schrikken, ze hoorden het de nacht in stormen. Misschien was het wel een neushoorn, en dat vond Akimbo best een eng idee, want hij wist hoe gevaarlijk neushoorns konden zijn.

Ze stopten nog een paar keer om uit te rusten en Akimbo merkte dat hij niet zo uitgeput was als de vorige nacht. Eindelijk, toen de zon alweer bijna opkwam, hadden ze hun bestemming bereikt. Ze waren nu in dichtbegroeid terrein en er konden elk moment olifanten opduiken. Akimbo nam aan dat de jacht geopend was.

Die ochtend rustten ze eerst nog een uur of vier uit en toen gingen ze langzaam op weg tussen de enorme bomen door die her en der op de vlakte stonden. Een van de mannen ging voorop; hij had de sporen van olifanten gevonden. Af en toe wees hij naar de grond en zei iets tegen de manke man, die dan knikte.

Plotseling bleef de spoorzoeker staan. De leider liep naar hem toe en zakte naast hem op zijn hurken. Akimbo en de andere mannen kropen ook in elkaar en wachtten op een teken van de leider.

Akimbo zag de olifanten bij de rand van de bomen. Ze sjokten rustig rond, zochten de takken af met hun slurven en plukten bosjes bladeren. Zijn hart stond even stil. Er was een mannetjesolifant bij met twee enorme slagtanden – grote, witte bogen van ivoor. Akimbo wist zeker dat de stropers het op dit mannetje gemunt hadden.

Opeens draaiden twee van de olifanten zich naar hen om en er ging een golf van beweging door de kudde. De twee grote stieren flapten hun oren open en hieven hun slurven in de richting van de in elkaar gedoken mannen. Akimbo besefte dat de dieren hun geur hadden opgepikt en daarvan geschrokken waren. En als ze geschrokken waren, zouden ze misschien wel aanvallen.

De leider gebaarde naar een van de andere mannen, die met een geweer naar hem toe rende. De olifant had de beweging waarschijnlijk gezien, want hij deed een paar snelle stappen naar voren en trompetterde. Achter hem hadden de andere olifanten zich teruggetrokken in de schaduw van de bomen.

Akimbo had nog nooit een aanvallende olifant gezien en hij wist niet dat de dieren zo hard konden rennen. Heel even staarde hij verstijfd van angst naar het grote beest dat op hem af kwam stormen. Maar toen bleef de olifant abrupt staan. Hij stond heel even stil, met zijn oren wijd, een trillend lijf en kleine stofwolkjes rond zijn poten. Toen draaide hij zich zomaar om en liep terug naar de kudde.

Ondertussen zat de leider aan het geweer te morrelen. Tegen de tijd dat het op zijn schouder lag, waren de olifanten in het dichte bos verdwenen. Akimbo voelde alle angst uit zijn lichaam vloeien. Ze waren veilig. En de olifanten ook – voorlopig tenminste.

Ontsnapt

De leider was duidelijk boos over wat er was gebeurd. Hij riep zijn mannen bij zich en sprak hen streng toe, wijzend naar de plek waar de kudde had gestaan om zijn woorden kracht bij te zetten. Ze wisten allemaal dat de olifanten er snel vandoor zouden gaan nu ze gevaar hadden geroken en dat het moeilijk zou worden om de kudde nog in te halen.

De leider leek even niet goed te weten wat ze nu moesten doen. Toen zei hij: 'We gaan erachteraan. Ik moet en zal die slagtanden hebben.'

Een van de mannen deed een stap naar voren.

'Maar ze gingen naar het westen. Daar zijn de wildopzichters. Dat wordt veel te gevaarlijk. Straks…'

De leider snoerde hem de mond. 'Ik wil die slagtanden. Als je bang bent, ga je maar naar huis.'

De man sloeg zijn ogen neer.

'Ik ben niet bang.'

Akimbo spitste zijn oren. Hij kreeg kriebels in zijn buik toen hij hoorde dat ze naar het westen zouden lopen. Dat was richting het opzichtersdorp, richting zijn huis, en dat zou het makkelijker maken om zijn plan uit te voeren.

De spoorzoeker ging weer voorop met zijn ogen strak op de grond gericht, en de rij stropers sloop langzaam over de begroeide savanne. Van alle dieren waren olifanten het makkelijkst te volgen, omdat olifanten onderweg zoveel kapotstampen, maar toch moest de spoorzoeker zijn uiterste best doen.

In de namiddag waren de olifanten nog steeds nergens te bekennen en Akimbo vroeg zich af wat ze zouden doen als de nacht viel. Dan zouden ze de kudde niet verder kunnen achtervolgen. Dat zou ook veel te gevaarlijk zijn, want in het duister zouden ze misschien wel midden in de kudde belanden en dan maakten ze geen schijn van kans.

Toen het te donker werd om nog verder te gaan, zei de leider dat ze moesten stoppen. Iedereen was gespannen, moe en dorstig, en ze waren blij dat ze konden uitrusten.

'We slapen vannacht hier. Bij het eerste licht gaan we meteen verder.'

'Maar we zijn te dicht bij het opzichtersdorp,' zei een van de anderen. 'Dat ligt maar een uur of twee die kant op.'

Akimbo keek waar de man naartoe wees. Toen liep hij zonder het antwoord van de leider af te wachten weg en ging opgekruld onder een struik verderop liggen, alsof hij wilde slapen. De andere mannen maakten zich ook allemaal klaar voor de nacht. Ze verstopten zich onder takken en struiken, en een argeloze voorbijganger zou nooit gemerkt hebben dat daar vijf mannen en een jongen lagen te slapen.

De jongen was nog wakker. Zijn vermoeide botten deden pijn, maar Akimbo verzette zich tegen de slaapaanvallen en deed zijn best om aan zijn plan te blijven denken. Na een hele tijd, toen hij zeker wist dat alle anderen diep onder zeil waren, kroop hij uit zijn schuilplaats.

Iedereen bleef stil liggen. Er bewoog zelfs niemand toen hij wegsloop naar het opzichtersdorp, in de richting die de man had gewezen.

'Ik hoop maar dat hij gelijk had,' zei hij zachtjes voor zich uit. 'Want anders...' Maar daar mocht Akimbo niet aan denken van zichzelf. Hij wist precies wat hij ging doen en daar richtte hij al zijn energie op.

Het was veel enger dan Akimbo ooit had kunnen denken. De maan ging schuil achter een wolk en er was bijna geen licht. Het enige wat hij om zich heen zag waren grote zwarte vormen – de vormen van bomen, struiken en rotsen. Akimbo probeerde bepaalde punten aan te houden zodat hij de juiste kant op zou blijven gaan, maar dat was bijna niet te doen in het donker. Dan was de vorm waar hij zich op richtte opeens verdwenen, of zag het punt er heel anders uit als hij dichterbij kwam. Misschien liep hij wel in een heel groot rondje.

Als ik echt in een kringetje loop, dan moet ik weer bij het begin uitkomen en dan kom ik straks de stropers weer tegen, dacht hij.

Na een kwartiertje was de wolk langs de maan gedreven en werd het iets lichter. Akimbo kon zich nu goed op een punt in de verte richten. Hij kon ook sneller lopen, want hij hoefde nu niet meer bang te zijn dat hij plotseling in een afgrond zou storten.

Hij begon te rennen. Het deed pijn aan zijn vermoeide benen, maar hij dwong zichzelf verder te gaan. Hij haalde zijn huid natuurlijk open aan doornstruiken en uitstekende takken, maar dat vond hij niet erg. Het enige wat hij wilde was zo snel mogelijk bij het veilige opzichtersdorp komen.

Plotseling bleef Akimbo staan. Zijn hart bonkte in zijn borstkas en hij had kippenvel van angst. Had hij het nou goed gehoord, of... Ja. Daar was het weer. Gebrul. Het was best ver weg, maar het was zeker weten het gebrul van een leeuw.

In paniek keek Akimbo om zich heen. Hij zag nog steeds dezelfde donkere vormen en schaduwen van de Afrikaanse nacht. Er konden overal leeuwen zitten. Misschien lagen ze zelfs al op de loer. Misschien doken ze nu wel in elkaar, klaar om zich op hem te storten.

Hij schudde zijn hoofd. Hij mocht het niet opgeven. Hij zou niet op zoek gaan naar de dichtstbijzijnde boom en erin klimmen, in de hoop dat hij daar veilig zou zijn. Hij moest naar huis.

Neushoornaanval

Akimbo baande zich zo stil mogelijk een weg door het dichte struikgewas. Maar het viel niet mee om zachtjes te doen, tenzij hij langzaam liep. En als hij langzaam liep, werd de kans groter dat hij aangevallen zou worden.

Hij bleef even staan om te luisteren. Afrikaanse nachten zijn nooit stil. Akimbo hoorde het getsjirp van insecten, een hoog en schril geluid dat nooit ophield. Het was overal – onder hem, naast hem, boven hem, en het was heel moeilijk om nog andere geluiden te horen. Maar die waren er wel. Hij hoorde ook nog iets anders.

Akimbo haalde diep adem en wilde even heel hard schreeuwen, in de hoop dat iemand hem zou horen. Maar hij wist dat er niemand in de buurt was en als hij schreeuwde, zou hij de situatie alleen maar erger maken. Hij draaide zich om. Kwam het geluid van achteren?

Het was stil. Akimbo deed nog een stap naar voren en bleef toen weer staan. Hij wist zeker dat hij iets had gehoord.

Er sluipt iets achter me aan. Dan moet het dus een leeuw zijn, of misschien wel een luipaard, dacht hij.

Bij het idee dat hij door zo'n woest beest werd achtervolgd, liep er een rilling over zijn rug. In het donker zocht hij naar een boom en hij zag dat er een paar meter verderop een stond. 'Daar kan ik in klimmen. Hij is niet heel hoog, maar dan ben ik in elk geval iets veiliger,' zei hij tegen zichzelf.

Langzaam liep hij naar de boom en probeerde de onderste takken te pakken te krijgen. Zijn armen waren slap van angst, maar hij voelde zich toch sterk genoeg om zichzelf van de grond te trekken. Net toen hij zich omhoog wilde hijsen, hoorde hij een hard gekraak achter zich. Hij schrok zo dat hij de tak weer losliet en happend naar adem op de grond viel.

Het gekraak klonk steeds harder terwijl het beest door het struikgewas stampte. Akimbo probeerde overeind te krabbelen, maar zijn lichaam wilde niet meewerken. Hij was verlamd van angst.

De neushoorn rende ontzettend hard. Toen Akimbo hem in het oog kreeg, leek het wel een zwarte, wazige streep die recht op hem af kwam, en een paar seconden later denderde het dier al langs de boom en stormde verder.

Akimbo bleef heel stil liggen. Het gekraak klonk steeds zachter en na een tijdje was alles weer rustig. Akimbo stond op en merkte tot zijn verbazing dat hij helemaal niet gewond was geraakt. De neushoorn had hem op een haar na gemist.

Hij begon weer te lopen, een beetje duizelig en overweldigd omdat hij op het nippertje ontsnapt was. Hij besefte dat het dier waarschijnlijk al een tijdje achter hem aan had gelopen en dat ze allebei evenzeer van elkaar geschrokken waren. Toen de neushoorn hem uiteindelijk in de gaten had gekregen, was hij wel op Akimbo af gestormd, maar alleen omdat hij wilde vluchten.

Akimbo voelde alle angst uit zijn lijf vloeien. Hij had een tocht met stropers én een woeste neushoorn overleefd. Hij voelde zich sterk, en hij wist dat hij zijn huis zou halen.

Achteraf kon Akimbo zich van de uren daarna niet veel meer herinneren. Hij liep snel en probeerde een rechte lijn te volgen. Hij had een tijdje een liedje gefloten en hij wist nog dat hij zich gestoten had aan een rotsblok dat in het gras verborgen lag. En toen was eindelijk dat geweldige moment gekomen waarop hij links van hem de lichtjes had gezien. Ze waren bijna niet te onderscheiden door de bomen en ze waren ook niet op de plek waar hij ze verwacht had. Maar ze konden maar één ding zijn: de lichtjes van het opzichtersdorp.

Zijn ouders lagen al te slapen toen hij thuiskwam. Zijn vader werd wakker van het geluid van de deur en toen hij opstond zag hij opeens zijn zoon naar binnen wankelen.

‘Akimbo! Wat doe jij hier?’

Akimbo had even tijd nodig om op adem te komen. Toen hij weer wat kon zeggen, gooide hij zijn noodkreet eruit.

‘Een stropersbende. Ze zijn in het reservaat. Ze zitten achter de olifanten aan.’

'Hoe weet jij dat in vredesnaam?'

Akimbo vertelde hem alles en zag zijn vaders ogen groot worden van verbazing.

'Maar waarom heb je dat in hemelsnaam gedaan?' vroeg zijn vader boos en verbijsterd tegelijk.

Akimbo gaf geen antwoord.

'Luister nou, papa, je moet me geloven. Ze zijn er. Ik weet waar ze zitten. Ik kan je ernaartoe brengen.'

Akimbo's vader keek bedenkelijk, maar nam toen kennelijk een besluit. Hij zei tegen Akimbo dat hij binnen moest blijven terwijl hij de hoofdopzichter erbij ging roepen. Die moest maar zeggen hoe het verder moest.

De hoofdopzichter luisterde ernstig naar Akimbo's verhaal. Toen Akimbo beschreef hoe hij het stuk ivoor uit de opslagplaats had gepakt, fronste de man boos zijn wenkbrauwen.

'Dat had je niet moeten doen. Dat is stelen, en dat weet je.'

'Maar ik wilde alleen maar helpen. Ik kon die stropers niet zomaar hun gang laten gaan.'

'Dat is jouw taak niet,' onderbrak de hoofdopzichter hem. 'Het is niet aan jou om hen tegen te houden.'

Akimbo zweeg. Het was zo oneerlijk dat die stropers zomaar wegkwamen met hun hebzucht en wreedheden en dat niemand hen kon tegenhouden. En als iemand het dan toch probeerde, kreeg hij alleen maar op zijn kop.

Akimbo keek hulpzoekend naar zijn vader.

'Hij is nog niet uitgesproken,' zei zijn vader zacht. 'Je moet naar het hele verhaal luisteren.'

De hoofdopzichter knikte, nog steeds met gefronste wenkbrauwen. Maar toen Akimbo over zijn gesprek met Matimba vertelde, knikte hij glimlachend, want hij was erg blij met dit bewijs tegen de man die hij al heel lang in de gaten hield.

Toen Akimbo uitgepraat was, stond de hoofdopzichter op en wreef in zijn handen.

Akimbo wachtte angstig af.

'Dank je wel. Goed gedaan!'

En na die woorden wist Akimbo dat alles goed zou komen. Of nou ja, het zou goed komen als ze die stropers te pakken kregen. Anders zou hij alsnog flink op zijn donder krijgen, dat wist hij zeker.

De hoofdopzichter zei dat alle opzichters wakker gemaakt moesten worden. Ze moesten allemaal binnen een uur klaarstaan voor vertrek. Ze zouden te voet gaan, zei hij, want hij wilde koste wat kost voorkomen dat de stropers hen zouden horen aankomen.

'Kun je nog lopen?' vroeg hij achteloos aan Akimbo. 'Je bent zeker wel een beetje moe.'

Akimbo slikte. Hij wist niet of zijn benen hem nog wel zouden kunnen dragen, en zijn slaapmatje op de vloer van hun huis zag er wel heel aanlokkelijk uit. Maar hij was hier zelf aan begonnen, dus hij moest het ook afmaken, al zou hij er aan het eind bij neervallen.

'Het gaat best,' antwoordde hij opgewekt. 'Ik kan het wel.'

Ze vertrokken met tien opzichters. Ze waren allemaal gewapend en uitgerust met alle dingen die ze nodig hadden voor een lange tocht. Akimbo liep naast de hoofdopzichter. Zijn vader, die vlak achter hem liep, fluisterde hem telkens bemoedigend toe als hij het even zwaar had.

Akimbo wist vrij goed waar hij vandaan was gekomen. Hij meende bepaalde dingen te herkennen – een heuveltop die zwart afstak tegen de nachtelijke hemel, of een stuk bos. Maar in het donker leek het allemaal heel erg op elkaar en hij wist dat hij er net zo goed helemaal naast kon zitten.

Vlak voor het ochtendgloren bleven ze staan. Toen de zon boven de horizon uit gluurde en de heuvels vlammend rood kleurde, keek Akimbo onzeker om zich heen.

'Herken je iets?' fluisterde de hoofdopzichter. 'Die bomen daar? Of die heuvel misschien?'

Akimbo schudde zijn hoofd.

'Het ziet er heel anders uit. Vannacht leek alles veel groter.'

De hoofdopzichter knikte.

'Maak je maar geen zorgen. We lopen gewoon heel langzaam verder. Als je iets bekends ziet, tik je op mijn arm, zonder iets te zeggen.'

Ze slopen langzaam door het struikgewas. Ze deden zo stil mogelijk, maar op de grond lagen twijgjes die braken als ze erop stapten, en er waren grote takken die met een zwiepend geluid terugzwaaiden als ze ze opzij bogen. Een van de mannen moest een paar keer hoesten, ook al deed hij zijn best om het te onderdrukken.

Akimbo was ervan overtuigd dat ze verdwaald waren. Misschien kon hij maar beter meteen tegen de hoofdopzichter zeggen dat hij geen idee had waar ze waren, anders verspilden ze nog meer tijd. Maar net toen hij de aandacht van de hoofdopzichter wilde trekken, zag hij hem.

Vlak bij de plek waar hij was gaan liggen en had gedaan alsof hij sliep, had een cactus gestaan en die zag hij nu weer. Het was beslist dezelfde. Daar was dat stuk afgebroken, en daar was die gekke kromme tak die omlaag wees in plaats van omhoog.

Hij tikte op de arm van de hoofdopzichter.

'Daar is het,' fluisterde hij. 'Daar was ik vannacht.' Op een teken van de hoofdopzichter zakten alle opzichters door hun knieën. Toen renden ze half kruipend naar de cactus.

Er was niets te zien – de stropers waren nergens te bekennen. De opzichters prikten wat rond in de struiken. Een vond een lege waterfles en stak die omhoog om hem aan de groep te laten zien. Een andere man vond een paar halfopgebrande lucifers die hij aan de hoofdopzichter gaf.

Nu was het de beurt aan de opzichter die het best kon spoorzoeken. Hij liep over de plek waar de mannen die nacht hadden geslapen tot hij zeker wist welke kant ze op waren gegaan. Toen begon hij te lopen, net als de spoorzoeker van de stropers had gedaan. Hij volgde de sporen op de grond en bleef af en toe staan om aandachtig naar een voetstap of een platgestampte graspol te turen.

'Ze zijn vlakbij,' zei hij tegen de hoofdopzichter. 'En de olifanten ook.'

Olifanten in gevaar

Terwijl ze het spoor van de stropers volgden, vroeg Akimbo zich af of ze nog wel op tijd zouden komen. Vroeg of laat zouden de stropers de kudde inhalen, en dat zou het einde betekenen van de olifant met de mooie slagtanden. Het kon Akimbo niet zoveel schelen dat de stropers misschien zouden ontsnappen: hij vond het veel belangrijker dat de olifant werd gered.

En de achtervolging leek zo langzaam te gaan!

'Kunnen we niet wat sneller?' vroeg Akimbo aan zijn vader. 'Als we niet opschieten, hebben ze de slagtanden al voor we ook maar in de buurt zijn.'

Akimbo's vader gaf zijn zoon een schouderklopje.

'Als we te snel gaan, raken we hun spoor kwijt. De spoorzoeker heeft tijd nodig.'

En dus kropen ze verder, tot de spoorzoeker plotseling zijn hand opstak en iedereen stokstijf bleef staan.

De hoofdopzichter liep zachtjes naar de spoorzoeker toe.

'Wat is er?' fluisterde hij.

De spoorzoeker wees naar de grond.

'Ze hebben een voorsprong van tien minuten,' zei hij. 'Kijk maar.'

Hij wees naar de afdruk van een mannenlaars in het zachte zand. De afdruk was nog vers en heel goed zichtbaar en de spoorzoeker wist dat hij nog maar een paar minuten geleden was gemaakt.

De hoofdopzichter gebaarde naar zijn mannen dat ze nog voorzichtiger moesten sluipen. Ze liepen nog langzamer verder en letten heel goed op waar ze hun voeten neerzetten om niet op stenen, takjes en andere dingen te trappen die hun aanwezigheid zouden kunnen verraden.

Ze kwamen bij een plek waar de grond steil omhoog liep. Voor hen lag een heuvel, en aan de andere kant liep de grond licht af naar een vlakte.

De olifanten stonden aan de rand van een grote groep bomen. Ze zochten naar voedsel en snuffelden met hun gekrulde slurven door de hoogste takken van de bomen. Ondertussen klapperden ze langzaam met hun oren om de vliegen weg te jagen. Er waren een paar moederolifanten bij met hun jonkies en daar, aan de rand van de kudde, stond het indrukwekkende mannetje met zijn zware slagtanden.

De opzichters raakten in de war toen ze de olifanten zagen. Ze hadden niet verwacht dat ze de dieren al zo snel en op zo'n korte afstand zouden tegenkomen. En ze hadden ook niet verwacht dat ze de stropers zo vlakbij zouden zien: ze zaten nog geen vijftig meter verderop, weggedoken in het gras.

Akimbo zag meteen hoe de situatie ervoor stond. Hij zag hoe de leider van de stropers half overeind kwam, het geweer tegen zijn schouders zette en wachtte op het juiste moment om te schieten en zijn prooi met donderend geraas op de grond te laten storten.

De seconden tikten weg. Akimbo keek om zich heen. Niemand leek iets te doen, en hij vroeg zich af of de anderen de leider wel gezien hadden. Want als dat niet zo was, zat er maar één ding voor hem op.

Akimbo sprong overeind en stormde schreeuwend naar voren. Hij hoorde zijn vader een geschrokken kreet slaken, maar hij rende zwaaiend met zijn armen verder, recht op de kudde olifanten af.

De olifanten kwamen in beweging. De kleintjes werden gauw naar achteren geduwd door hun moeders, terwijl de grote olifant met de slagtanden zich omdraaide naar degene die voor deze onrust had gezorgd. Toen hij Akimbo zag, klapte de olifant zijn oren uit en zijn slurf schoot omhoog.

‘Nee!’ riep Akimbo’s vader. ‘Akimbo! Blijf staan!’

De stropers sprongen uit hun schuilplaatsen en staarden naar de jongen. Hun leider ging rechtop staan en liet zijn geweer zakken. Hij keek Akimbo verbijsterd aan en wist niet goed wat hij moest doen. Toen zag hij de opzichters achter Akimbo en schreeuwde het uit van verbazing.

De olifant snuffelde aan de lucht. Akimbo had zich op de grond laten vallen en verschool zich achter een kleine struik. De grote olifant zag hem niet meer en tuurde in de richting waar hij vandaan was gekomen. Hij liep een paar stappen naar voren en liet een waarschuwend getrompetter horen.

Akimbo gluurde om zijn struik heen. Hij zag het grote lijf van de olifant op zich afkomen, maar hij wist niet zeker of het dier hem kon zien. Hij wist dat hij in groot gevaar verkeerde, maar om de een of andere reden was hij heel rustig. Hij dacht aan wat zijn vader ooit had gezegd: 'Je kunt het best heel stil blijven staan.'

En hij had gelijk. De olifant kwam nog een paar passen dichterbij, maar toen hij geen gevaar meer zag, liep hij terug naar de kudde en leidde de andere olifanten naar de bomen. Akimbo stond op om het beter te kunnen zien. De olifant met de grote slagtanden joeg de kudde op. Hij gaf een paar onwillige vrouwtjes een duw en spoorde andere aan met zwaaiende bewegingen van zijn slagtanden.

Akimbo's adem stokte in zijn keel. Er liepen een paar babyolifantjes in de kudde, en hij wist zeker dat hij een van hen al eens had gezien. Ja! Het was echt zo. Het was een olifantje met een scheur in zijn rechteroor. Dus hij was echt gevonden door de kudde, en er werd voor hem gezorgd.

Terwijl de olifanten zich uit de voeten maakten, keken de opzichters naar de stropers. De leider besefte dat zijn bende in de minderheid was en gaf zich meteen over. Al zijn mannen volgden zijn voorbeeld. Ze keken woedend naar Akimbo, maar die kon het niets schelen. De stropers konden hem niets meer doen.

Akimbo's vader leek zo geschrokken door alles wat er was gebeurd, dat hij op de terugweg eerst niet veel tegen zijn zoon kon zeggen. Na een tijdje wist hij beverig iets uit te brengen.

'Je hebt heel, heel erg veel geluk gehad daarnet. Ik dacht dat die olifant je zou vermorzelen voor we konden ingrijpen.'

'Het scheelde ook niet veel. Maar dat was de enige manier om hem te waarschuwen.'

'En toch was het veel te gevaarlijk. Als je dat struikje niet had gezien om je achter te verstoppen...'

'Maar ik zag het struikje wél.'

De hoofdopzichter had naar hen geluisterd en bemoeide zich met hun gesprek.

'Je was heel erg dapper. Als jij er niet geweest was, zou die olifant gestorven zijn.'

In het dorp zorgden de opzichters ervoor dat de politie de stropers kwam halen. De hoofdopzichter moest ook alle nieuwe informatie over Matimba doorgeven, en dat vond hij helemaal niet erg. Hij zou het geweldig vinden als Matimba werd gearresteerd en er een eind werd gemaakt aan zijn wrede handel in gestolen ivoor.

Maar Akimbo wilde maar één ding. Hij ging op zijn slaapmatje liggen en voelde alle pijnlijke vermoeidheid uit zijn uitgeputte armen en benen vloeien. Binnen een paar seconden lag hij te slapen.

Hij sliep bijna twintig uur achter elkaar en ergens in die twintig uur had hij een droom. Hij droomde over de olifanten. Hij droomde dat hij op de savanne was en keek hoe de olifant met de grote slagtanden langzaam door het wuivende, gouden gras liep. En toen de olifant voorbijkwam, draaide hij zich om en keek naar Akimbo. Dit keer viel hij hem niet aan. Dit keer stak hij zijn slurf omhoog, alsof hij Akimbo begroette, als een vriend. En Akimbo stak zijn hand op naar de olifant, en keek toe hoe het dier langzaam wegliep.

Akimbo en de leeuwen

Dit boek is voor Victor en Doreen

Een leeuwenprobleem

Er is een plek in Afrika waar de heuvels overgaan in uitgestrekte grasvlaktes. Er grazen zebra's en waterbuffels, en als je geluk hebt zie je misschien ook wel leeuwen. Bij de drinkplaatsen zijn 's ochtends nog veel meer dieren te zien. Er zijn giraffes, die hun lange nekken een beetje onhandig naar het wateroppervlak buigen, en wrattenzwijnen, die als er niemand kijkt snel naar voren schieten met hun families om hun dorst te lessen, en nog heel veel andere dieren ook. Akimbo, die aan de rand van dit grote wildpark woonde, kende alle dieren en hun gewoontes.

Maar de laatste tijd verveelde Akimbo zich. Zijn vrienden waren weg en het leek wel alsof er helemaal niets gebeurde in het wildpark. Zijn vader was te druk om zich met hem te bemoeien. Hij was net tot hoofdopzichter benoemd en moest de hele dag zo veel dringende zaken afhandelen dat er niet veel tijd overbleef voor zijn zoon – zo leek het tenminste, vond Akimbo.

Akimbo zat erover te denken om een boomhut te bouwen. Er waren genoeg geschikte, schaduwrijke bomen in de buurt, maar toen hij op zoek ging naar hout, merkte hij dat alle goede planken al voor andere dingen bestemd waren. Zijn boomhutplan ging dus niet door.

Toen kondigde zijn vader op een ochtend bij het ontbijt onverwacht aan dat hij een paar dagen weg moest.

‘Ik ga naar een van de boerderijen in het zuiden,’ zei hij. ‘Het vee schijnt aangevallen te zijn door leeuwen. Ze willen dat wij iets aan het probleem gaan doen.’

Akimbo spitste zijn oren. Aanvallen van leeuwen! Hij keek naar de tafel en vroeg zich af of zijn vader hem misschien mee zou willen nemen. Soms mocht hij met de mannen mee als ze in het park een routineklusje moesten afhandelen, maar bij zoiets als dit had hij nog nooit mogen helpen.

Hij sloeg zijn ogen op naar zijn vader en wachtte tot hij er meer over zou vertellen, maar de opzichter dronk zwijgend kleine slokjes uit zijn beker thee. Akimbo besloot dat hij het maar gewoon rechtstreeks moest vragen.

‘Mag ik mee?’ vroeg hij aarzelend. ‘Ik zal niet in de weg lopen, dat beloof ik.’

Akimbo’s vader fronste zijn wenkbrauwen en schudde zijn hoofd.

‘Het spijt me, Akimbo,’ zei hij. ‘Ik krijg het hartstikke

druk en dan heb ik gewoon geen tijd om ook nog op jou te passen.'

'Maar ik kan toch wel op mezelf passen,' protesteerde Akimbo. 'Ik zal echt niet lastig zijn, heus niet.'

Akimbo's vader keek zijn zoon aan. Hij vond het leuk als Akimbo hem hielp bij kleine klusjes, maar een lange tocht om woeste leeuwen te vangen? Dat was wel even andere koek. Maar hij moest wel toegeven dat zijn zoon ondertussen al behoorlijk groot was en zich heel goed kon redden op de savanne.

'Tja...' begon hij weifelend. 'Zul je me echt niet voor de voeten lopen?'

Akimbo kwam dolblij overeind.

'Natuurlijk niet,' zei hij. 'En ik weet zeker dat ik je kan helpen.'

'Hmm,' zei zijn vader, die nog steeds niet helemaal overtuigd klonk. 'Dat weet ik nog zo net niet. Maar ik geloof niet dat het kwaad kan als je meegaat.'

Akimbo sprong een gat in de lucht. Zijn gevoel van verveling was in één klap verdwenen. Hij ging op zoek naar leeuwen – de trotste en gevaarlijkste dieren van de savanne! Hij had natuurlijk al wel eens leeuwen gezien, van een afstand, en op een keer waren ze op een leeuwin gestuit die een eindje verderop had liggen slapen, maar dit klonk alsof ze nog veel dichterbij zouden komen!

Hij vroeg zich af of hij weer net zoveel zou beleven als tijdens zijn vorige avontuur, toen hij de ivoorstropers had opgespoord en de olifanten had gered. Dat was een van de spannendste dingen die hij ooit had meegemaakt. Maar het was ook heel erg eng geweest, en hij was blij dat het allemaal achter de rug was.

De volgende ochtend vertrokken ze al vroeg, nog voor de zon boven de heuvels uit was gekomen. Het was behoorlijk fris en de mannen wreven in hun handen om ze warm te houden terwijl ze wachtten tot de open vrachtwagen zou vertrekken. Akimbo klom naast zijn vader in de cabine en de mannen zaten met alle spullen in de laadbak. Zijn moeder had hem een thermoskan thee en een paar boterhammen meegegeven als ontbijt en terwijl de auto over de hobbelige weg bonkte, pakte Akimbo zijn boterhammen uit en begon te eten.

De zon kwam op en verfde de vlakte om hen heen goudkleurig. Zwermen vogels vlogen op van meren en boomkruinen, kuddes zebra's staarden even naar het voorbijrijdende voertuig voor ze er in een stofwolk vandoor galoppeerden en een antilope en haar piepkleine kalfje staken in paniek razendsnel voor hun neus de weg over. Akimbo had die nacht niet goed kunnen slapen van opwinding over de reis. Nu het steeds heter werd, merkte hij dat hij wegdommelde. Soms werd hij wakker door een kuil in de weg, maar hij viel telkens weer in slaap.

Onderweg stopten ze een paar keer. De mannen achterin sprongen op de grond, strekten hun benen en zetten thee boven een vuurtje van kreupelhout. En toen, vlak na twaalf uur 's middags, zagen ze in de verte eindelijk de boerderij liggen waarnaar ze op weg waren: een groepje gebouwen, omringd door bomen. Toen de auto voor de boerderij stopte, begonnen de waakhonden hard te blaffen. De boer kwam naar buiten en zwaaide vriendelijk vanaf de veranda van zijn huis.

Akimbo zat op de grond voor de stoel van zijn vader terwijl de twee mannen het probleem bespraken.

'Er zijn nu al vijf aanvallen geweest,' zei de boer somber. 'Allemaal binnen één maand.'

Akimbo's vader knikte. 'Vertel er eens wat meer over,' zei hij.

De boer zuchtte. 'Ik ben al twaalf dieren kwijtgeraakt,' zei hij. 'Het gebeurt telkens 's nachts. De leeuw springt over het hek en doodt dan één of meerdere koeien. Hij sleept er een beetje mee in het rond om te proberen ze uit de wei te krijgen, maar uiteindelijk geeft hij het op en eet ze gewoon daar op.'

'Heeft iemand het zien gebeuren?' vroeg Akimbo's vader.

De boer glimlachte. 'Ik heb een tijdje iemand de wacht laten houden bij de wei, maar toen hij het lawaai hoorde, is hij naar het huis gerend. Ik kan het hem natuurlijk niet kwalijk nemen, maar daardoor heeft hij niet gezien wat er gebeurd is. Hij zei wel dat er volgens hem maar één leeuw was.'

Akimbo's vader dacht een tijdje na.

'Het is waarschijnlijk steeds dezelfde,' zei hij. 'Hij is te lui om op de savanne te jagen en kiest een makkelijke prooi.'

Hij zweeg even voor hij verderging. 'Het probleem is dat we dit alleen maar kunnen oplossen door de leeuw dood te schieten of hem ergens anders heen te brengen. Je kunt ze geen dingen afleren.'

'Denk je dat jullie hem kunnen vangen?' vroeg de boer nogal bedenkelijk.

Akimbo's vader schoot in de lach. 'Het kan wel een paar dagen duren,' zei hij. 'Misschien zelfs een week. Maar we gaan het zeker proberen. En ik denk dat ik wel kan stellen dat we hem te pakken zullen krijgen, als hij óns tenminste niet te pakken krijgt!'

Akimbo moest even slikken. Hij wist dat zijn vader een grapje maakte, maar het zou hoe dan ook gevaarlijk worden. Maar Akimbo had zelf gevraagd of hij mee mocht, en hij was niet van plan om nu nog terug te krabbelen.

GEZOCHT
~~DOOD~~ OF LEVEND

De val

Toen ze even later wegliepen van de boerderij, legde Akimbo's vader uit wat hij van plan was.

'We willen de leeuw liever niet neerschieten,' zei hij. 'We gaan proberen hem te vangen.'

'Maar hoe willen jullie dat dan doen?' vroeg Akimbo. 'Met van die speciale pijltjes?'

Akimbo had op die manier wel eens een neushoorn gevangen zien worden. Het dier moest naar een ander deel van het park gebracht worden en de opzichters hadden hem met een speciaal pijltjesgeweer neergeschoten. In het pijltje zat een verdovingsmiddel waardoor de neushoorn een halfuur bewusteloos raakte, zodat de opzichters hem in een vrachtauto konden tillen en veilig verplaatsen.

‘We kunnen ’s nachts geen pijltjes schieten,’ zei Akimbo’s vader. ‘We kunnen namelijk niet dicht genoeg in de buurt komen om de leeuw goed te kunnen zien, en als we lampen meenemen blijft hij misschien wel weg.’

‘Maar hoe krijgen we hem dan te pakken?’ drong Akimbo aan.

‘We gaan een val opzetten,’ zei zijn vader. ‘We zetten een geit in een deel van de val – leeuwen zijn dol op geitenvlees – en als de leeuw naar binnen gaat, klapt het deurtje dicht.’

Akimbo’s vader deed alsof het allemaal heel makkelijk was, maar Akimbo dacht niet dat het zo simpel kon zijn om zo’n groot dier als een leeuw te vangen. Zou de val wel sterk genoeg zijn? En stel dat de leeuw met zijn lijf tegen de zijkanten zou bonken – zouden die het dan houden?

Ze liepen terug naar de auto, waar de mannen stonden te wachten. Akimbo’s vader zei dat ze weer moesten instappen. Samen met een boerenknecht die hun de weg zou wijzen, vertrokken ze naar de plek waar het vee stond.

De mannen waren de hele middag bezig met het opzetten van de val. Hij werd gemaakt van de stevige palen die ze hadden meegenomen en die in de grond geslagen werden om een sterk hek te maken. Daarna werden de palen met dikke touwen aan elkaar geknoopt, en toen werden er houten balken tegenaan gespijkerd. Het was zwaar werk, zeker in de hete middagzon, en de mannen moesten regelmatig even pauzeren om water te drinken. Maar net voor de zon onderging was de val eindelijk af. Akimbo, die goed had meegeholpen door hamers en spijkers te halen en aan te geven, was blij dat de klus erop zat.

'Zo,' zei zijn vader. 'Dat moet genoeg zijn. Morgen gaan we 'm uitproberen.'

Stiekem was Akimbo een beetje teleurgesteld dat ze niet meteen die nacht al zouden proberen de leeuw te vangen, maar hij was ook moe en hongerig, en het zou snel genoeg morgen zijn.

Die nacht sliepen ze in een logeerkamer van de boerderij. Akimbo viel bijna meteen in slaap, maar hij had levendige dromen en werd halverwege de nacht koud en bang wakker. Toen hij zo stil in zijn bed lag, wist hij zeker dat hij buiten gebrul hoorde. Was de leeuw weer gekomen? Wat een pech zou dat zijn, als ze hem de eerste nacht al zouden mislopen. Hij spitste zijn oren, maar hij hoorde alleen het geluid van de insecten, een zacht, constant geklik en getsjirp waarvan hij wist dat het pas bij het eerste licht zou verstommen.

De volgende dag lieten ze hun val aan de boer zien. Er was die nacht geen leeuw langsgekomen, ondanks de geluiden die Akimbo gehoord meende te hebben. De boer had zijn vee geteld en er waren geen dieren weg.

'De laatste aanval is al bijna vijf dagen geleden,' zei de boer. 'Ik weet zeker dat hij binnenkort weer komt.'

'We zijn er klaar voor,' zei Akimbo's vader. 'Vanavond zetten we het lokaas neer en dan zullen we wel zien wat er gaat gebeuren.'

Akimbo deed zijn best om zijn groeiende opwinding te onderdrukken. De avond was nog heel ver weg, en hij wilde dat de tijd sneller ging. Maar de trage uren waren niet het grootste probleem: hij maakte zich vooral zorgen dat zijn vader zou zeggen dat hij vanavond in de boerderij moest blijven. Dan zou hij alles missen, en dat vond hij een vreselijk idee.

'Waar gaan we ons vannacht verstoppen?' vroeg hij voorzichtig toen de boer weg was.

Akimbo's vader keek naar zijn zoon.

'O, maar daar mag jij helemaal niet bij zijn,' zei hij. 'Het wordt veel te gevaarlijk. Jij moet in de boerderij blijven, net als vannacht.'

Akimbo's gezicht betrok. Dat was nou precies waar hij al bang voor was geweest. Hij was toch niet helemaal hiernaartoe gekomen om alle spannende dingen te missen? Hij keek naar zijn vader, en de teleurstelling was blijkbaar zo duidelijk op zijn gezicht te lezen dat zijn vaders blik meteen minder streng werd.

'Wil je echt bij ons blijven, vannacht?' vroeg hij. 'Het wordt heel koud en zwaar, zonder lekker warm bed om in te slapen.'

'Ik wil het heel graag,' zei Akimbo smekend. 'Ik wil erbij zijn als er iets gebeurt.'

Akimbo's vader leek nog even te aarzelen en gaf zich toen gewonnen.

'Nou, vooruit dan,' zei hij. 'Als je maar ver uit de buurt blijft.'

Dat vond Akimbo helemaal geen probleem. Hij wilde graag zien wat er ging gebeuren als de leeuw kwam, maar wel het liefst van een veilige afstand.

Die middag was er niet veel te doen en Akimbo slenterde een beetje rond over het terrein. Hij hielp een van de veehoeders met het bijeendrijven van een paar schapen en kreeg als dank een geroosterde maïskolf. Daarna was het gewoon een kwestie van wachten.

Rond een uur of vier hoorde hij zijn vader roepen vanuit de auto.

'We gaan!' zei hij. 'Kom maar.'

Akimbo rende naar de auto en ging bij zijn vader en de mannen zitten. Hij zag dat een van de mannen een jong geitje vasthield, en Akimbo besefte dat dat het lokaas was. Hij vond het zielig voor het beestje met zijn bange zwarte ogen en zijn treurige, wanhopige gemekker, maar hij wist dat de leeuw de geit niet te pakken zou kunnen krijgen als de val goed werkte. Maar zóú de val goed werken? Zijn vader leek er zeker van, maar Akimbo was een stuk minder overtuigd.

Hij huiverde bij de gedachte. Misschien had hij toch beter in de boerderij kunnen blijven. Maar daar was het nu veel te laat voor, want ze waren al op weg en Akimbo kon niet meer terug, of hij het nu leuk vond of niet.

Leeuw!

Het vee stond al binnen de hekken toen de vrachtauto aan kwam rijden. Zodra ze stilstonden, sprongen de mannen de laadbak uit en gingen meteen aan de slag met de val. Het geitje, dat nog steeds heel droevig stond te mekkeren, werd in een apart gedeelte boven in de kooi geduwd. Het stond wankel op zijn poten en keek om zich heen alsof het zich afvroeg wat er aan de hand was.

Maar goed dat je dat niet weet, dacht Akimbo verdrietig.

Daarna controleerde Akimbo's vader of de val werkte. Het was eigenlijk heel simpel. Het idee was dat de leeuw binnen de omheining zou komen en het geitje zou ruiken of horen. Hij zou dichterbij komen en zich een weg banen door het doolhof van palen. Maar zodra hij binnen was, zou hij een stuk draad lostrekken dat vlak boven de grond tussen twee pinnen was gespannen, en daardoor zou achter hem een geïmproviseerde deur dichtvallen. De geit, die in een klein, afgesloten kooitje bovenin stond, zou heel bang zijn, maar buiten het bereik van de klauwen van de leeuw blijven.

Het viel natuurlijk te verwachten dat de leeuw al snel zou beseffen dat hij gevangenzat en boos zou worden. Maar dan kon Akimbo's vader veilig naar hem toe gaan en een verdovingspijltje afschieten. Dat zou echter pas 's ochtends gebeuren, als ze de reiskooi hadden gehaald waarin ze de leeuw zouden verplaatsen.

'Goed,' zei Akimbo's vader zodra hij de val gecontroleerd had. 'Alles lijkt in orde. Nu moeten we hier allemaal weg.'

'Blijven we in de auto?' vroeg Akimbo, want dat leek hem de warmste plek.

De opzichter schudde zijn hoofd.

'Nee,' zei hij. 'Die gaat terug naar de boerderij. We hebben lang niet alle mannen nodig vannacht, en bovendien is de kans groot dat de leeuw dan mensen zal ruiken. En dan blijft hij natuurlijk ver uit de buurt.'

'Dus wij blijven met z'n tweetjes hier?' vroeg Akimbo.

'Ja,' zei zijn vader. 'Maar je kunt nog terug, hoor, als je wilt.'

Akimbo wist niet zo goed wat hij moest doen. Zéggen dat je de hele nacht midden in de wildernis ging kamperen met leeuwen om je heen was nog tot daaraan toe, maar het was wel even wat anders om het ook echt te doen. Hij was echter vastbesloten en wilde niet meer van gedachten veranderen.

'Nee, dat hoeft niet,' antwoordde hij. 'Ik wil hier blijven.'

'Prima,' zei zijn vader terwijl hij naar de mannen gebaarde. 'Dan kunnen jullie nu gaan.'

Ze keken hoe de vrachtauto steeds verder weg hobbelde over het oneffen pad naar de boerderij. Al snel zagen ze alleen nog een stofwolk, en toen was ook die verdwenen. Ze waren alleen.

'Daar staat een groepje bomen,' zei Akimbo's vader, wijzend naar een plek verderop. 'Laten we daarheen gaan. Daar zitten we goed beschut.'

Ze liepen naar de bomen en vonden een plekje waar ze konden zitten en redelijk goed verborgen waren. Akimbo's vader pakte een stok, haalde zijn zakmes tevoorschijn en begon over het hout te schrapen. Ondertussen floot hij een wijsje dat Akimbo vroeger altijd heel leuk vond en waar hij zelfs nu nog vrolijk van werd.

'Dat vind je een mooi liedje, hè?' zei zijn vader. 'Heb ik je de tekst wel eens laten horen?'

Akimbo schudde zijn hoofd.

'Nou, het gaat over een leeuwenjacht,' legde zijn vader uit. 'Het is een heel oud liedje uit de tijd waarin onze vaders en opa's nog op leeuwen joegen.'

Akimbo lachte.

'Wil je het voor me zingen?' vroeg hij. 'Ik weet zeker dat ik me dan dapperder zal voelen.'

Daar moest Akimbo's vader om glimlachen en terwijl de brandende zon als een enorme, vriendelijke rode bal onderging, zong hij het oude lied voor zijn zoon. Het werd algauw donker en boven hen verschenen honderdduizenden sterren aan de nachtelijke Afrikaanse hemel.

'Je mag best gaan slapen, hoor,' zei Akimbo's vader zacht. 'Ik houd de wacht. Maak je maar geen zorgen.'

Akimbo wist niet precies hoe lang hij had geslapen. Hij werd wakker met een stijf lijf van het liggen op de harde grond en wreef verwoed over zijn benen om zijn spieren wat losser te maken.

'Is er al iets gebeurd?' fluisterde hij tegen zijn vader die naast hem zat met zijn geweer over zijn schoot.

'Nee,' zei zijn vader zacht. 'Nog niet. Ga maar weer slapen, als je wilt.'

Akimbo ging weer liggen, maar hij was klaarwakker.

Ik zou natuurlijk kunnen proberen om de sterren te tellen, dacht hij bij zichzelf terwijl hij naar het zilveren getwinkel boven hem keek, maar daar heb ik niet genoeg cijfers voor.

Hij dacht aan het geitje en vroeg zich af of het lag te slapen. Zou het bang zijn, helemaal alleen op die vreemde plek, ver van alle andere geiten? Of zou het de verandering gewoon over zich heen laten komen, zoals dieren vaak leken te doen?

Op dat moment hoorde hij een geluid waardoor hij meteen rechtovereind schoot. Het geitje mekkerde – een helder, scherp geluid dat boven de nachtelijke insectengeluiden uit kwam.

Akimbo draaide zich opzij naar zijn vader, die het geluid ook had gehoord en een hand op de arm van zijn zoon had gelegd.

'Het is ergens van geschrokken,' fluisterde zijn vader. 'We moeten heel stil zijn.'

Akimbo tuurde in de richting van de val, maar die was slechts een vage schim in het donker. Binnen de omheining hoorde hij een paar koeien bewegen, en toen werd er weer gemekkerd. Dit keer klonk het harder, met een angstige ondertoon.

Plotseling brak er tumult uit. De koeien renden van de ene kant van de omheining naar de andere en loeiden van angst. Akimbo deed zijn uiterste best om iets te kunnen zien in het donker. Hij keek naar de hemel: de maan ging schuil achter een wolk, maar die gleed langzaam voorbij en daarna werd alles weer lichter.

Er klonk een bonk en toen een hard en onmiskenbaar gebrul. De leeuw zat in de kooi en had uitgehaald naar de houten tralies die hem van het doodsbange geitje scheidden. Akimbo's vader kwam overeind.

'Hij zit in de val,' zei hij. 'Klaar.'

'Wat ga je doen?' vroeg Akimbo bezorgd.

'Ik ga even kijken,' antwoordde zijn vader. 'Jij blijft zitten waar je zit, begrepen?'

Zijn vaders stem had een bepaalde klank waardoor Akimbo wist dat het geen zin had om tegen te sputteren. Hij dook in elkaar terwijl zijn vader richting de val sloop. Het was weer stil geworden en Akimbo vroeg zich af wat de leeuw aan het doen was. Hij zou toch zeker niet zo snel geaccepteerd hebben dat hij in een val was gelopen? En toch wist hij zeker dat hij hem nu kon zien zitten – een grote, donkere vorm die half lag en half overeind stond.

Hij wilde het zo graag beter zien dat Akimbo op zijn knieën ging zitten en door het gebladerte tuurde. Zijn been stootte tegen iets kouds en hards. Het was het geweer van zijn vader.

'Je geweer!' riep hij uit. 'Papa, je geweer!'

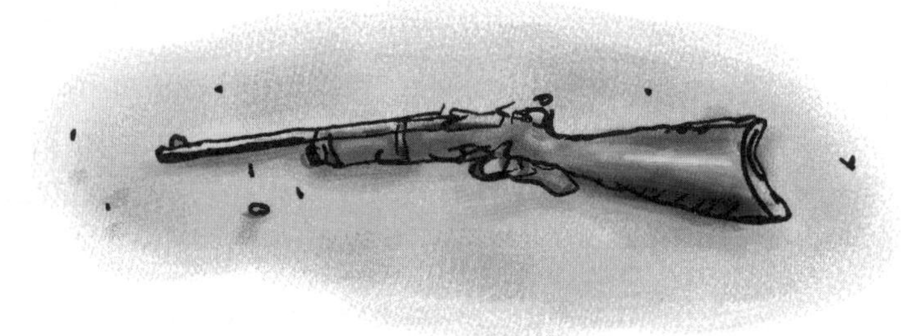

Akimbo's vader keek achterom. Het was niet zijn bedoeling geweest om het geweer te laten liggen en het zou gevaarlijk zijn om de val ongewapend te inspecteren. Hij draaide zich om en toen hij dat deed kwam de leeuw, die hem scherp in de gaten had gehouden, overeind. Wat Akimbo en zijn vader namelijk niet wisten, was dat er iets was misgegaan met de val. De leeuw was naar binnen gegaan, maar het mechanisme waardoor het luik achter hem had moeten dichtklappen, had niet gewerkt. En toen de leeuw de man in het maanlicht op hem af zag komen, was hij in elkaar gedoken om te zien wat er ging gebeuren.

Akimbo zag de leeuw de val uit sluipen. Hij schreeuwde weer naar zijn vader en de opzichter draaide zich vliegensvlug om. Hij stond nu oog in oog met een in elkaar gedoken, boze leeuw, op nog geen dertig passen van hem vandaan. Het was niet te voorspellen wat de leeuw zou doen, maar Akimbo's vader wist dat hij in groot gevaar was, wat er ook ging gebeuren.

Achtergelaten

Akimbo dacht koortsachtig na. Als zijn vader het nu op een lopen zette, zou dat misschien een aanval van de leeuw uitlokken. Als hij zelf naar zijn vader toe zou rennen, zou dat waarschijnlijk hetzelfde effect hebben. Het geweer: dat was de enige manier om een ramp te voorkomen. Hij bukte zich om het op te rapen.

Akimbo had vaak gekeken hoe zijn vader met het geweer oefende, maar hij had er zelf nog nooit mee geschoten. Hij wist wel waar de veiligheidspal zat, en hij haalde hem eraf en trok de grendel naar achteren. Het geluid klonk hard door de nacht en Akimbo vroeg zich af of de leeuw het gehoord had.

Akimbo legde het geweer tegen zijn schouder en keek langs de loop. Heel even verloor hij de leeuw uit het oog, maar toen zag hij hem weer. Het dier sloop heel laag over de grond, alsof het om zijn prooi heen liep. Akimbo pakte het geweer stevig beet en probeerde goed te richten, maar dat viel niet mee in het donker.

Opeens kreeg hij de leeuw goed in het vizier en zijn vinger ging naar de trekker. Maar toen verstarde hij plotseling. Als hij schoot, zou hij de leeuw misschien alleen verwonden, en die zou dan nog bozer worden en met een paar sprongen zijn vader aanvallen.

'Schiet maar!' hoorde hij zijn vader roepen. 'Schiet in de lucht!'

Akimbo duwde de geweerloop omhoog en haalde de trekker over. Er klonk een enorme knal en zijn oren piepten van het lawaai. Hij trok de grendel weer naar achteren en haalde de trekker nogmaals over, een beetje wankel door de terugslag van het geweer. Toen liet hij het wapen zakken en keek naar de leeuw. Het beest was verdwenen.

Akimbo's vader rende naar hem toe.

'Goed zo!' riep hij terwijl hij het geweer van zijn zoon overnam. 'Ze ging er meteen vandoor.'

'Ze?' vroeg Akimbo, nog steeds een beetje duizelig. 'Was het een leeuwin?'

'Jazeker,' zei zijn vader. 'Na je eerste schot vloog ze de struiken al in, en ik denk dat de boodschap na die tweede knal nog duidelijker was.'

Akimbo ging zitten. Hij was nog steeds bibberig en het gepiep in zijn oren leek alleen maar harder te worden.

'We gaan zo eens kijken waarom de val niet goed heeft gewerkt,' zei Akimbo's vader. 'En dit keer laat ik mijn geweer niet liggen.'

'Moeten we het morgennacht opnieuw proberen?' vroeg Akimbo.

'Dat lijkt me sterk,' zei zijn vader. 'Ik denk dat ze haar lesje voorlopig wel geleerd heeft. Leeuwen blijven liever uit de buurt van plekken waar ze schoten hebben gehoord.'

Ze liepen samen naar de val. De geit was nog steeds aan het mekkeren. Van de schrik, dachten ze, maar toen ze bij de val aankwamen, zagen ze dat het gemekker een heel andere oorzaak had. De val was nu wél dichtgeklapt, de deur was gesloten, en er zat een leeuw in. Een heel klein leeuwtje.

'Een welpje!' riep Akimbo uit. 'Kijk nou! We hebben haar welp gevangen.

Toen de mannen de volgende ochtend terugkwamen met de vrachtauto, legde Akimbo's vader uit wat er die nacht was gebeurd.

'Toen de leeuwin uit de val kwam,' zei hij, 'heeft ze waarschijnlijk het draadje losgetrokken. Maar haar jong zat nog binnen en kon er niet meer uit. Daarom heeft ze me niet aangevallen. En toen Akimbo het geweer afvuurde, is ze geschrokken weggevlucht.'

'Wat doen we met dat kleintje?' vroeg een van de mannen. 'Kunnen we dat zomaar loslaten?'

Akimbo's vader krabde aan zijn hoofd.

'Ik weet het eigenlijk niet,' zei hij. 'Ik denk niet dat de moeder snel terug zal komen, dus we kunnen hem niet achterlaten. Dan gaat hij dood van de honger.'

Akimbo keek naar het bos. 'Maar denk je niet dat ze op hem wacht?' vroeg hij. 'Zal ze niet terugkomen zodra wij weg zijn?'

'Nee,' zei Akimbo's vader. 'Ik heb dit al vaker meegemaakt. Ik vermoed dat er al eerder op haar geschoten is, en misschien is ze toen zelfs wel gewond geraakt. Daarom ging ze alleen nog maar voor makkelijke prooien, zoals de koeien hier. Ze is nu vast heel erg bang.'

Akimbo trok zijn vader aan de elleboog.

'Maar we kunnen hem toch meenemen?' vroeg hij dringend. 'Dan geven we hem thuis te eten.'

De opzichter zuchtte. 'En wie gaat dat dan doen?' vroeg hij. 'Ik heb het tegenwoordig veel te druk om leeuwenwelpjes eten te geven.'

'Dan doe ik het toch?' stelde Akimbo voor. 'Ik heb tijd zat.'

'En als hij groter wordt?' vroeg Akimbo's vader. 'Wat doen we dan?'

'Dat duurt nog heel lang,' zei Akimbo, 'maar dan kunnen we hem vrijlaten in het park.'

Akimbo's vader dacht er een tijdje over na. Hij keek naar het leeuwenwelpje, dat zich prinsheerlijk in de armen van zijn zoon had genesteld. Het beestje zag er zo lief en ongevaarlijk uit dat het onweerstaanbaar was.

'Nou, vooruit,' zei hij. 'Dan moet het maar.'

Akimbo's moeder keek stomverbaasd toen ze later die dag thuiskwamen en Akimbo een spartelend hoopje miauwend bont tegen zich aan klemde.

'Een leeuw!' riep ze uit. 'Dat kan toch nog nooit de leeuw zijn die al die opschudding veroorzaakt heeft.'

Akimbo's vader lachte.

'Nee,' zei hij. 'Dat was zijn moeder, ben ik bang.'

'We hebben hem per ongeluk gevangen,' legde Akimbo uit. 'Zijn moeder heeft hem achtergelaten in de val.'

'Juist,' zei Akimbo's moeder, en ze boog zich voorover om het leeuwtje te bekijken terwijl Akimbo het voorzichtig op de grond zette. Toen keek ze met gefronste wenkbrauwen op.

'Waarom zou een leeuwin zo'n klein welpje alleen laten?' vroeg ze. 'Wat is er gebeurd?'

Akimbo legde het uit, en ondertussen vlijde het welpje zich lekker warm tegen zijn enkels. Toen kwam het leeuwtje een beetje wankel overeind. Het keek op naar Akimbo's moeder, knipperde met zijn ogen en ging weer zitten.

'Hij is verzwakt,' zei ze. 'Kijk, hij kan nauwelijks op zijn pootjes blijven staan.'

'Hij moet gauw gevoerd worden,' zei Akimbo's vader. 'Misschien kun je wat melk voor hem opwarmen.'

Akimbo schonk een beetje melk in een steelpannetje en verwarmde het boven het fornuis. Na een paar minuten was de melk warm genoeg. Hij goot de melk op een grote schotel en zette die voor het welpje neer.

Het kleine leeuwtje keek naar het bord, snuffelde er even aan en draaide toen zijn kop weg.

'Dat gaat nog lastig worden,' zei Akimbo's vader somber. 'Het is niet makkelijk om een leeuw in gevangenschap groot te brengen. Ik ben bang dat hij het misschien niet gaat redden.'

Akimbo schudde zijn hoofd. 'Hij gaat nog wel eten,' zei hij. 'Ik weet het zeker.'

Hij duwde de schotel naar de welp toe en duwde zijn snuit in de melk. Het leeuwtje snuffelde weer en draaide toen met een ruk zijn kop weg terwijl het Akimbo een verwijtende blik toe wierp.

'Hij kent het niet,' zei Akimbo's vader. 'Ik ben bang dat hij aan leeuwinnenmelk gewend is.'

Akimbo's moeder was de kamer uit gelopen en kwam nu weer terug.

'Laten we dit eens proberen,' zei ze terwijl ze haar zoon een babyflesje liet zien. 'Dat vond jij in elk geval maar wat fijn toen je nog een baby was.'

Ze schonken de melk in het flesje en duwden de speen in de bek van het leeuwtje. Het welpje spuugde de speen meteen weer uit en probeerde op zijn wankele pootjes weg te lopen.

Akimbo was teleurgesteld. Hij zag dat het welpje verzwakt was en hij werd heel verdrietig als hij bedacht hoeveel honger het moest hebben. Snapte de leeuw nou maar dat de melk goed voor hem was!

'We proberen het straks nog een keer,' zei Akimbo's moeder. 'Laten we hem voorlopig maar in de oude kippenren zetten. Daar is hij veilig.'

Ze droegen het welpje de keuken uit en zetten het voorzichtig in de gazen ren waarin de moeder van Akimbo vroeger kippen had gehouden. Het was een prima plek, want de ren bood schaduw en het leeuwtje kon rondlopen en toch niet ontsnappen. Het kwam overeind, keek om zich heen en ging toen weer liggen.

‘Over een halfuur zullen we hem nog eens wat melk proberen te geven,’ zei Akimbo’s moeder. ‘Dan moet hij wel een beetje gewend zijn aan zijn nieuwe huis. Hoe ga je hem eigenlijk noemen?’

‘Simba,’ zei Akimbo. ‘Want dat betekent “leeuw”.’

‘Simba,’ herhaalde zijn moeder en ze knikte goedkeurend. ‘Dat lijkt me een heel goede naam.’

Vrienden

Die avond, vlak voor hij naar bed ging, bracht Akimbo weer een schoteltje melk naar Simba's ren en zette het voor hem neer. Het leeuwtje snuffelde aan de melk en draaide zich toen, net als de vorige keren, om.

'Je moet wat drinken,' drong Akimbo aan. 'Het heeft geen zin om je neus maar een beetje op te trekken.'

Simba keek Akimbo niet-begrijpend aan. Hij was in een vreemde omgeving en wist niet goed of hij de jongen die de hele tijd een schotel met vreemd ruikend spul voor zijn neus zette wel kon vertrouwen.

Akimbo tilde de schotel melk weer op en zette hem in een hoekje van de ren.

'Ik laat het hier staan,' zei hij vriendelijk. 'Als je vannacht heel erge honger krijgt, moet je erbij kunnen.'

Daarna draaide hij zich om en liet het leeuwtje helemaal alleen achter in de ren. Hij vond het niet leuk om Simba alleen te moeten laten, want hij was bang dat het beestje zijn moeder miste. Maar daar zou het leeuwtje vast snel aan wennen – dat deden dieren altijd – en het zou heel veel vrienden maken in het opzichtersdorp. Daar zou Akimbo wel voor zorgen.

Zodra hij de volgende ochtend wakker werd, sprong Akimbo uit bed en rende zo hard hij kon naar Simba's ren.

De leeuw stond bij de deur met zijn poten op de houten balken en begroette Akimbo met een zacht gemiauw.

Akimbo woelde door zijn vacht en keek naar de hoek van de ren waar hij het bord melk had neergezet. Het was duidelijk onaangeroerd.

'Hoor eens,' zei hij terwijl hij het hoopje gele vacht optilde en knuffelde, 'als je niet eet, word je steeds zwakker. Je moet het proberen.'

Maar Simba was niet geïnteresseerd in de melk, en hoe Akimbo ook zijn best deed, het lukte hem niet om de leeuw op andere gedachten te brengen.

'Dus hij eet niet,' zei Akimbo's vader toen zijn zoon er bij het ontbijt over begon. 'Dat is geen goed teken, ben ik bang.'

Akimbo voelde zich helemaal moedeloos worden. Hij zou er alles voor overhebben om het leeuwenwelpje te laten eten, maar als hij geen melk wilde drinken, zag het er somber uit.

'Wat gaat er dan gebeuren?' vroeg hij aan zijn vader. 'Als

hij heel erge honger krijgt zal hij de melk toch wel opdrinken, ook als hij die niet lekker vindt?'

Akimbo's vader schudde zijn hoofd. 'Ik ben bang van niet,' zei hij. 'Dieren reageren soms anders dan je zou verwachten. Soms weigeren ze in gevangenschap gewoon te eten, zonder dat je er iets aan kunt doen.'

Akimbo liet zijn hoofd hangen. 'Ik wil niet dat Simba honger heeft,' zei hij verdrietig. 'Ik wil niet dat hij doodgaat.'

Zijn vader zweeg een tijdje. Toen boog hij zich naar voren en klopte zijn zoon op zijn schouder.

'Ik weet misschien wel iemand die kan helpen,' zei hij. 'Een van de andere opzichters heeft ook een keer een leeuwenwelpje grootgebracht. Ik zal eens aan hem vragen hoe hij dat heeft aangepakt. Misschien heeft hij wel een paar goede ideeën. Zou je dat fijn vinden?'

Akimbo was dolblij. Hij wist zeker dat er een manier was om Simba te laten eten – hij hoefde alleen maar te horen hoe.

Die middag kwam de opzichter langs en hij vroeg aan Akimbo of hij Simba mocht zien. Akimbo nam hem mee naar de ren waar Simba in de hitte op de grond lag te hijgen. Het kleine leeuwtje was nu echt heel erg zwak en het deed niet eens zijn best om op te staan toen de mensen zijn ren in kwamen.

De opzichter zuchtte. 'Hij is er slecht aan toe,' zei hij. 'Heeft hij al iets gegeten?'

'Nee,' zei Akimbo. 'Helemaal niets.'

De opzichter liep naar Simba toe en trok voorzichtig de

kaken van het welpje van elkaar. Hij tuurde in zijn bek en voelde aan zijn buik.

'Hij lijkt in orde,' zei hij uiteindelijk. 'Wat hebben jullie hem gegeven?'

'Melk,' antwoordde Akimbo. 'En ik heb hem vlees voorgehouden, maar daar had hij ook geen zin in.'

De opzichter lachte. 'Nee,' zei hij, 'nog niet. Zeg, denk je dat je moeder ergens honing heeft?'

'Jawel,' zei Akimbo. 'Ik eet het elke dag op mijn brood.'

'En vind je dat lekker?' vroeg de opzichter glimlachend.

'Nou en of,' zei Akimbo. 'Ik vind het heerlijk.'

'Kijk,' zei de opzichter, 'dat vinden leeuwenwelpjes ook. Als jij nu eens twee of drie lepels honing door wat warme melk roert en dat hierheen brengt, dan denk ik dat je je ogen niet zult geloven.'

Akimbo rende naar de keuken en roerde de melk en honing door elkaar, precies zoals de opzichter gezegd had. Toen vloog hij terug naar de ren en probeerde onderweg niets te morsen van de kostbare zoete vloeistof. Hij gaf het schoteltje aan de opzichter, deed een stap achteruit en keek hoe het pal voor Simba's neus werd gezet.

Een tijdje deed de leeuw niets. Toen begon zijn neus langzaam een beetje te bewegen.

'Toe maar,' zei de opzichter bemoedigend. 'Tijd voor je middageten.'

Simba was nu wiebelig overeind gekrabbeld en snuffelde nog steeds aan de rand van het bord. En toen, alsof het de normaalste zaak van de wereld was, schoot zijn tong naar buiten en begon hij de volle witte vloeistof op te likken, waarbij hij het alle kanten op liet spatten.

'Kijk eens aan,' zei de opzichter. 'Zo, de eetproblemen zijn opgelost, Akimbo!'

De dagen daarna dronk Simba meer melk dan Akimbo voor mogelijk had gehouden. Gelukkig hadden ze genoeg, want de opzichters hielden een paar koeien voor eigen gebruik. Maar het duurde niet lang voor de moeder van Akimbo meer honing moest laten halen.

'Die leeuw van jou eet ons de oren van het hoofd,' lachte ze. 'Moet je eens kijken hoe dik hij wordt!'

Akimbo's moeder had gelijk. De huid rond Simba's buik was strakgespannen en hij liep eerder schommelend dan met de trotse tred die je van een leeuw mocht verwachten. Je kon je lachen haast niet inhouden als je hem zag, en het was nog moeilijker om te bedenken dat hij over een tijdje zou uitgroeien tot een groot, angstaanjagend beest. Het was bijna niet voor te stellen dat dit grappige, bolle hoopje leeuw ooit zou lijken op de leeuwen die Akimbo in het wildpark boven hun prooien had zien grommen en grauwen.

Toen Akimbo zeker wist dat Simba aan zijn nieuwe omgeving gewend was, mocht hij de ren uit. Eerst leek hij niet veel zin te hebben om zijn veilige kooi te verlaten, maar na een tijdje kreeg zijn natuurlijke nieuwsgierigheid de overhand en zette hij zijn eerste aarzelende stapjes buiten de ren. Algauw trippelde hij tevreden achter Akimbo aan toen die van de ren naar het huis liep. Af en toe bleef hij even staan en ging dan zitten om zichzelf te krabben. Vervolgens veerde hij weer overeind en struikelde over Akimbo's voeten terwijl hij speels tegen hem op sprong.

Akimbo voelde zich ongelooflijk trots. Het was geweldig om een leeuwtje te hebben, een leeuwtje dat helemaal van hem alleen was. En hij wist dat Simba ook besefte dat hij bij Akimbo hoorde. Elke ochtend als hij naar de ren kwam, stond Simba al ongeduldig op zijn baasje te wachten. En als Akimbo de deur opendeed stortte Simba zich spinnend op hem om hem overal te likken, als een soort grote kat. Daarna deden ze samen spelletjes of maakten ze een wandeling. Als Akimbo daar zo liep, terwijl Simba met grote bokkensprongen met hem mee huppelde, had hij het gevoel dat hij de grootste bofkont van heel Afrika was.

Leeuw op school

Drie weken nadat Simba bij hen was komen wonen, moest Akimbo weer naar school. Het viel niet mee om elke ochtend afscheid van Simba te moeten nemen. Het kleine leeuwtje jankte als het Akimbo weg zag gaan, en daarna lag het nog heel lang treurig in zijn ren. En Akimbo kon de hele tijd alleen maar aan Simba denken, dus hij vond het moeilijk om zich op zijn schoolwerk te concentreren.

'Waar zit je toch met je gedachten?' vroeg de meester streng. 'Het lijkt wel alsof je de laatste tijd één lange dagdroom hebt!'

Als Akimbo aan het eind van de dag terugkwam, sprong Simba dolblij om hem heen, als een hond die zijn baasje verwelkomt.

'Die kleine leeuw heeft je gemist,' zei Akimbo's moeder. 'Ik heb geprobeerd met hem te spelen, maar bij mij moet hij er niks van hebben.'

Stiekem vond Akimbo dat wel leuk. Hij was blij dat hij de belangrijkste persoon in Simba's leven was. Hij besloot om Simba een paar trucjes te leren, en hij leerde hem ook om rustig mee te lopen als Akimbo ging wandelen. Eerst was hij bang geweest dat Simba misschien zou proberen te ontsnappen, maar algauw besefte hij dat de leeuw het fijn vond bij hem en er niet over peinsde om weg te lopen.

Iedereen vond het een heel grappig gezicht om Akimbo en zijn leeuwtje te zien, en binnen de kortste keren had het verhaal over de vriendschap tussen de leeuw en de jongen ook verre dorpen en steden bereikt. Er kwam een journalist om een artikel over Akimbo te schrijven, en een fotograaf was een hele dag bezig om foto's van de twee te maken.

Simba groeide hard. Hij was niet meer het kleine, hulpeloze welpje dat ze in de val hadden gevonden; hij was veel groter en ook veel sterker. Zijn eetlust was natuurlijk ook behoorlijk toegenomen en hij at allang geen schoteltjes melk met honing meer. Hij at nu vlees, dat hij enthousiast van de botten scheurde, waar hij net zolang op knaagde tot zelfs het kleinste flintertje vlees eraf was.

Hij was dan wel groter geworden, maar Simba was nog steeds heel lief. Als hij met Akimbo speelde – als ze bijvoorbeeld samen over de grond rolden en net deden of ze met elkaar worstelden – hield hij altijd zijn nagels in om de jongen niet te krabben. En hij deed soms een speelse uithaal naar Akimbo's been, maar zijn tanden, die nu behoorlijk groot en scherp waren, zouden de jongen nooit verwonden.

Toch wist Akimbo dat de welp op een gegeven moment een jonge leeuw zou zijn, en dan zouden de mensen zich ermee gaan bemoeien. Simba's ren was veel te klein voor een volwassen leeuw en ook niet stevig genoeg om hem binnen te houden. Wie zou zich nog veilig voelen als Simba door het dorp wandelde en opeens begon te brullen?

Een paar maanden na Simba's komst was Akimbo te laat op school gekomen en had hij een standje gekregen van de meester, die vond dat iedereen stipt op tijd moest zijn. Een slecht begin van de dag.

En toen, vlak nadat de kinderen pauze hadden gehad, gebeurde het. Akimbo zat achter zijn tafeltje toen hij buiten geschreeuw hoorde.

'Een leeuw!' gilde iemand. 'Er komt een leeuw aan!'

De hele klas kwam overeind om uit het raam te kijken. En daar, over het pad naar de school, met zijn kop hoog in de lucht geheven, draafde Simba. Heel even herkende Akimbo hem niet – deze leeuw leek veel groter dan Simba – maar toen hij het donkere plukje zag in de vacht onder zijn kin, wist hij meteen wie het was.

De meester wist niet wat hij moest doen. Hij stak zijn hand omhoog en liet die toen weer zakken. Ondertussen was Simba bij de rand van het schoolplein aangekomen, keek om zich heen en snuffelde onderzoekend in het rond.

Het had allemaal goed kunnen gaan als de schoolkokkin niet net op dat moment om de hoek van het schoolgebouw was gekomen. Ze had Simba nog niet opgemerkt en liep nietsvermoedend midden over het schoolplein. Toen verstarde ze. Heel even bleven ze allebei doodstil staan. De vrouw leek aan de grond genageld en Simba vroeg zich af waarom ze niet doorliep. Wilde ze misschien spelen? Wilde ze dat hij achter haar aan kwam?

Het leek wel alsof ze plotseling door een grote speld werd geprikt, want de vrouw begon opeens heel hard te gillen en sprong achteruit. Voor Simba was dit een teken: ze wilde écht spelen! Hij sprong naar voren en rende op haar af. Al snel had hij haar ingehaald en sprong speels tegen haar rug op.

In de klas slaakte de meester een kreet en hij vloog naar de deur.

'Nee!' riep Akimbo. 'Laat mij maar.'

De meester probeerde hem tegen te houden, maar Akimbo duwde de man opzij en rende het schoolplein op. Simba stond over de vrouw heen gebogen, die kermend en jammerend van angst op de grond lag.

‘Simba!’ riep Akimbo. ‘Kom hier! Hier!’

Toen Simba zijn baasje zag en hoorde, werd hij helemaal blij. Hij liet de arme vrouw liggen waar ze lag, sprong op Akimbo af en likte hem over zijn knieën en enkels. Akimbo bukte zich en woelde door de vacht in de leeuwennek.

‘Je mag hier niet komen,’ fluisterde hij. ‘Nu zitten we allebei in de problemen.’

Akimbo had gelijk. Dit zou problemen geven, en niet zo’n beetje ook. De arme vrouw was niet gewond, maar ze was natuurlijk wel heel erg boos, net als de meester. Van een veilige afstand riep de meester dat Akimbo de leeuw weer naar huis moest brengen en daar moest wachten. Hij zou later die dag langskomen om met Akimbo’s vader te praten.

Diepongelukkig liep Akimbo naar huis. Simba was in een opperbest humeur, maar hij wist natuurlijk niet wat een ellende hij had veroorzaakt.

'Ik hoop maar dat ze niet zullen proberen om je bij me weg te halen,' zei Akimbo toen ze er bijna waren. 'Ik wil je niet kwijt, Simba, dat zou echt verschrikkelijk zijn!'

Terug naar de vrije natuur

De meester kwam later die middag en liep meteen door naar Akimbo's vader. Akimbo keek van een afstandje toe hoe de twee mannen naast het kantoortje van het wildpark met elkaar praatten. De leraar maakte af en toe grote handgebaren alsof hij een bepaald punt wilde onderstrepen, en Akimbo kon wel zien dat hij erg boos was. Na een tijdje was het gesprek afgelopen. Akimbo's vader gaf de leraar een hand en ging het kantoortje weer in. De meester stapte op zijn fiets en reed weg terwijl hij een argwanende blik richting Akimbo's huis wierp, bang dat er opeens een leeuw op hem af zou springen.

Toen zijn vader om vijf uur thuiskwam, was Akimbo op het ergste voorbereid.

'Ik moet even met je praten,' zei de opzichter. 'Ik denk dat je wel weet waar het over gaat.'

Akimbo knikte somber. 'Het spijt me,' zei hij. 'Het is nooit mijn bedoeling geweest om Simba mee naar school te nemen.'

'Dat weet ik wel,' zei zijn vader. 'Ik geef jou ook niet echt de schuld van wat er is gebeurd. Maar dat betekent nog niet dat...'

Hij zweeg even en keek naar zijn zoon. Akimbo keek terug en deed zijn best om niet te gaan huilen, maar de tranen kwamen toch.

'Simba moet weg,' zei de opzichter. 'We kunnen geen volwassen leeuw in huis houden. Dat is gewoon te gevaarlijk.'

'Maar hij is altijd heel lief,' protesteerde Akimbo. 'Hij zou nooit iemand kwaad doen.'

'Misschien niet,' zei zijn vader, 'maar we kunnen het risico niet lopen. Je kunt het karakter van een leeuw niet veranderen. Vroeg of laat valt hij misschien wel iemand aan. Dat zit gewoon in hem, ergens diep vanbinnen. Je kunt hem niet in iets anders veranderen: hij is en blijft een leeuw.'

Akimbo zweeg. Hij wist dat zijn vader gelijk had en dat hij afscheid van Simba zou moeten nemen.

'Goed,' zei de opzichter uiteindelijk. 'We nemen hem morgen mee en dan kijken we of we hem weer in de natuur kunnen loslaten. Dat is beter dan hem naar een dierentuin te sturen.'

Het was geen leuk nieuws voor Akimbo, maar hij wist dat het voor Simba veel beter zou zijn om met andere leeuwen in de vrije natuur te leven dan in een klein en vervelend hok waar hij in een verre dierentuin misschien in terecht zou komen. Die avond, nadat hij Simba had gevoerd, bleef hij nog een tijdje bij de slaperige leeuw zitten om hem te knuffelen.

'Ik ga je heel erg missen,' zei hij. 'Ga jij mij ook missen?'

Simba drukte zijn kop tegen hem aan en likte over zijn gezicht. Dat was zijn manier om antwoord te geven, dacht Akimbo, en hij wist zeker dat het 'ja' betekende.

De volgende ochtend gingen ze al vroeg op pad. Akimbo zat met Simba in de laadbak van de vrachtauto terwijl zijn vader heel diep het wildpark in reed. Hij wist een plek – een plek bij de rivier – waar verschillende leeuwentroepen leefden. Daar konden ze Simba het best naartoe brengen. Je kon een jonge leeuw niet zomaar de savanne op sturen en verwachten dat hij zou blijven leven – Simba had nooit geleerd hoe hij moest jagen. Maar met een beetje geluk zou hij gevonden worden door andere leeuwen, en misschien kregen een paar vrouwtjes dan wel medelijden met hem. Misschien was er wel een bij die haar welpje had verloren en op zoek was naar een ander. Dat had Akimbo's vader al eerder meegemaakt.

Het was een lange reis, maar uiteindelijk waren ze er. Akimbo's vader zette de vrachtauto onder een boom bij de rand van de rivier en ze stapten alle drie uit. Simba vond deze nieuwe omgeving heel spannend en sprong onderzoekend rond. Hij liep naar de waterkant en stond er een tijdje wantrouwig naar te kijken, maar toen stak hij zijn neus erin en begon te drinken.

Akimbo en zijn vader keken hoe Simba de omgeving verkende. Hij snuffelde over de grond, waar hij blijkbaar iets interessants had ontdekt, en gromde zelfs even zachtjes. Toen kwam hij terug en trok aan Akimbo's shirt, alsof hij met hem wilde wandelen.

'Hij vindt het hier leuk,' zei Akimbo's vader. 'Ik denk dat het wel goed komt met hem.'

Het was heel moeilijk om weg te gaan. Akimbo sloeg het portier van de auto achter zich dicht en Simba, die een eindje verderop in het hoge gras liep, hield zijn kop schuin en keek naar hem alsof hij wilde zeggen: 'Jullie gaan toch zeker niet zonder mij weg? Wacht even, ik moet nog heel even dit stukje onderzoeken.'

Maar ze wachtten niet. Akimbo's vader zette de motor aan, schakelde, maakte een scherpe bocht en reed weg. Akimbo keek achterom en zag heel even hoe Simba uit het hoge gras sprong en hen niet-begrijpend nakeek. Toen werd de leeuw aan het zicht onttrokken door het stof dat door de wielen van de auto werd opgeworpen, en Akimbo zag hem niet meer. Zijn vriend was alleen en de rest van de terugreis voelde Akimbo's hart koud en verdrietig aan in zijn borstkas.

Het was akelig om weer te moeten wennen aan de lege ren achter het huis en een tijdlang ging Akimbo liever niet via de achterdeur naar buiten. Hij vond het naar om aan Simba te denken die nu helemaal alleen op de uitgestrekte savanne woonde. Was hij gevonden door de andere leeuwen? Had hij honger? Had hij het koud gehad die nacht, zonder een plekje om zich lekker warm op te krullen? Akimbo hoopte dat het goed ging met Simba, maar hij wist hoe hard het leven in de wildernis was. De jonge leeuw zou het niet makkelijk hebben – daar was hij van overtuigd.

Een paar maanden later zei Akimbo's vader dat zijn zoon mee mocht op een van zijn tochten naar het hart van het wildpark. Akimbo was heel blij. Ze zouden minstens twee dagen wegblijven en hij vond het altijd geweldig om buiten onder de sterren te slapen.

Op de eerste avond van hun tocht waren ze vlak bij de rivier waar ze Simba hadden losgelaten. Ze sloegen hun kamp op onder dezelfde boom waar ze die droevige dag afscheid hadden genomen. Akimbo's vader was kennelijk vergeten dat het hier was, maar Akimbo kon het zich nog precies herinneren. Hij dacht nog steeds heel veel aan Simba en maakte zich vaak zorgen om hem. Misschien was er een kans, een piepklein kansje, dat ze Simba weer zouden zien.

'sOchtends werd Akimbo eerder wakker dan zijn vader en hij kroop de tent uit om een beker water te halen uit de waterfles in de auto. Toen hij buiten was, besefte hij opeens dat hij niet alleen was. Er bewoog iets aan de andere kant van de rivier.

Hij bleef heel stil staan om niet te laten merken dat hij er was. Het gras en de struiken, die aan die oever heel dicht en vol waren, waren opzij gebogen en er stonden vijf of zes leeuwen aan de waterkant te drinken. Het was een prachtig gezicht, vooral omdat de leeuwen hem niet hadden opgemerkt en helemaal op hun gemak waren.

Akimbo keek hoe een leeuwin haar kop naar het wateroppervlak boog en hem toen weer optilde om het water door haar keel te laten glijden. Hij keek hoe de leider van de troep, een groot mannetje met bijna zwarte manen, naar voren kwam om zijn dorst te lessen.

En toen zag hij hem. Net achter het vrouwtje stond nóg een leeuw, een jonge leeuw, die nu naar voren kwam en naar het water keek.

Akimbo wist wie dat was. Hij was voor honderd procent zeker: hij voelde tot in zijn botten dat het Simba was.

Heel even deed hij niets, maar toen kon hij zich niet langer inhouden. Hij liep naar voren en riep Simba's naam.

'Simba!' Zijn stem droeg ver over het water en de leeuwen keken geschrokken op.

De mannetjesleeuw brulde, draaide zich om en sprong het bos in. De andere leeuwen volgden hem op de voet. Allemaal, behalve Simba. Die bleef staan en keek over het water naar de jongen op de andere oever.

Akimbo deed nog een stap naar voren tot hij met zijn voeten in het water stond. De rivier was niet breed, en de leeuw en de jongen werden slechts door een smal strookje water gescheiden.

Simba schrok van de beweging. Hij aarzelde nog even, maar toen nam zijn instinct de overhand.

'Kom terug,' riep Akimbo, maar het was al te laat. De rivier lag nog steeds tussen hen in, en dat zou op een bepaalde manier altijd zo blijven. Akimbo wist dat er geen weg terug was. Simba was waar hij thuishoorde – bij andere leeuwen – en Akimbo begreep dat het zo goed was.

Hij draaide zich om en liep terug naar de tent. Hij was opgelucht dat alles goed ging met Simba, en hoewel hij het jammer vond dat hij hem maar zo kort had gezien, was hij blij, en ook trots, dat zijn vriend hem had herkend.

Hij keek over zijn schouder naar de rivier en de wildernis daarachter.

'Dag, Simba!' riep hij zachtjes. 'Het ga je goed!'

Akimbo en de krokodillenman

Dit boek is voor Philip en Mary Magee

Een ongewone gast

Akimbo zat op zijn koele lievelingsplekje op de veranda en keek naar de lange, stoffige weg die naar het huis liep. Het was een hete Afrikaanse middag en het woud gonsde van de insecten. Boven hem leek de strakke blauwe lucht zich eindeloos uit te strekken. Nergens bewoog iets.

Plotseling zag Akimbo een stofwolk in de verte. Hij kwam overeind en tuurde ingespannen naar de weg. Ja, dacht hij. Het is zover.

'Kijk!' riep hij naar zijn moeder, die ergens in het huis was. 'Kijk nou! Onze gast komt eraan.'

Akimbo's moeder kwam naast hem op de veranda staan.

De stofwolk werd groter en ze zagen nu ook waar hij door veroorzaakt werd: een grote witte vrachtauto die hotsend en botsend over de weg bonkte.

'Ga maar gauw je vader halen,' zei Akimbo's moeder. 'Hij wil vast weten dat zijn gast veilig gearriveerd is.'

Akimbo rende over het pad dat naar het opzichterskantoor leidde en gluurde om de half openstaande deur met het HOOFDOPZICHTER-bordje erboven.

'Onze gast is er,' zei hij.

Akimbo's vader keek op vanachter zijn bureau en glimlachte. Hij was duidelijk blij dat te horen.

'Mooi zo,' zei hij. 'Dus de krokodillenman is er eindelijk!'

Toen ze bij het huis kwamen, stond de witte vrachtauto al voor de voordeur. Akimbo en zijn vader liepen de verandatrap op, waar ze hun gast in een van de canvas stoelen zagen zitten. Hij dronk een kopje thee dat de moeder van Akimbo na zijn lange reis voor hem had gezet.

Toen de man Akimbo's vader een hand had gegeven, keek hij naar Akimbo en lachte hem vriendelijk toe.

'Dus jij bent Akimbo,' zei hij. 'Ik heb al veel over je gehoord.'

Verlegen gaf Akimbo hem een hand.

'Ik ben John,' zei de man.

Akimbo keek op. John was heel lang, zag hij, en had een warm, vriendelijk gezicht. Maar hij zag ook nog iets anders: over zijn hele rechterarm liep een lang, dik litteken, dat hier en daar onderbroken werd door bobbelige ribbels. Akimbo deed zijn best om er niet naar te staren, maar hij kon zijn ogen er bijna niet vanaf houden. John zag de jongen kijken.

'Ja,' zei hij vrolijk. 'Dat was een fikse beet.'

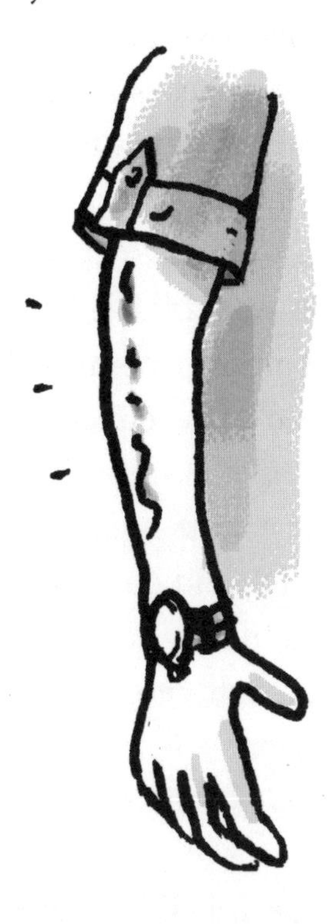

Akimbo keek opgelaten weg, maar het was duidelijk dat John de aandacht niet erg vond.

'Van een krokodil,' zei hij. 'En niet eens een grote. Hij was nog maar een paar jaar oud, maar hij wist me te verrassen en heeft er een behoorlijk zooitje van gemaakt voor ik met hem af kon rekenen.'

Akimbo's vader rilde. 'Ik blijf altijd ver uit de buurt van

die beesten,' zei hij. 'Ik snap niet wat je in ze ziet.'

John schoot in de lach. 'Ze zijn ontzettend fascinerend,' zei hij. 'Het zijn de interessantste dieren van Afrika.'

Akimbo's vader leek niet overtuigd.

'Geef mij maar leeuwen,' zei hij. 'Of luipaarden. Of alle andere dieren die we hier hebben. Maar krokodillen – nee, bedankt!'

Akimbo zag hun gast pas weer bij het avondeten. Zijn vader had John meegenomen naar het opzichterskantoor en ze kwamen pas rond een uur of zeven terug. Toen ze aan tafel gingen zitten om te eten deed Akimbo heel erg zijn best om niet naar Johns gewonde arm te kijken, maar dat bleek opnieuw een hele opgave. Hoe had de krokodil hem te pakken gekregen? Was John in of buiten het water geweest toen het gebeurde? En had hij zichzelf gered, of was er iemand geweest die hem had geholpen?

Tijdens het eten vertelde John het een en ander over zichzelf aan Akimbo.

'Ik ben een zoöloog,' zei hij. 'Ik bestudeer de hele dag dieren en alles wat ik ontdek schrijf ik op, zodat mensen het kunnen lezen.'

Dat vond Akimbo heel erg interessant. 'Hebt u ook wel eens een boek geschreven?' vroeg hij.

John knikte. 'Jazeker,' zei hij. 'Ik heb een boek geschreven dat helemaal over krokodillen gaat.'

'Dat heb ik gezien,' zei Akimbo's vader. 'In een winkel in de stad.'

Akimbo was diep onder de indruk. Hij had nog nooit iemand ontmoet die een boek geschreven had, en zeker niet over krokodillen. Hij vroeg zich af of ze het op zijn school zouden hebben. Hij dacht eerlijk gezegd van niet, want er stonden niet zo veel boeken in de schoolbibliotheek, en de boeken die ze wel hadden gingen allemaal over natuurkunde en wiskunde en dat soort dingen. Hadden ze op school ook maar boeken over krokodillen!

'Maar wat kom je hier dan doen?' vroeg de moeder van Akimbo. Net als haar man was zij ook niet erg dol op krokodillen.

De krokodillenman leunde naar achteren.

'Ik ga onderzoek doen naar krokodilleneieren,' zei hij. 'Ik wil kijken of ik erachter kan komen hoeveel van de pas uitgekomen krokodilletjes het eerste jaar overleven.'

Akimbo keek verbaasd op bij het woord 'eieren'. Hij wist niet eens dat krokodillen eieren legden. Wat een gek idee dat zo'n groot dier uit zo'n klein ding als een ei kon komen. Hij vroeg zich af of je een krokodillenei kon eten, en of het ongeveer als een kippenei zou smaken. Hij had geen behoefte om het zelf uit te proberen, maar misschien kon hij erachter komen als hij ergens een boek over krokodillen vandaan kon halen.

John vertelde verder over zijn onderzoek. Hij wilde een vrouwtjeskrokodil en al haar babykrokodilletjes proberen te vangen en te merken. Dan zou hij een jaar later teruggaan naar die plek en kijken hoeveel gemerkte krokodillen hij nog aantrof.

Akimbo vond het allemaal reuze-interessant. Maar hoe merkte je een krokodil? Dat leek hem vreselijk moeilijk.

'Maar is dat dan niet gevaarlijk?' vroeg Akimbo. 'Ik zou niet graag willen proberen de moederkrokodil te vangen.'

John grinnikte. 'Dat klopt,' antwoordde hij. 'Het kan inderdaad gevaarlijk zijn. Zo ben ik hier ook aan gekomen.'

Hij wees naar zijn gehavende rechterarm en gaf daarmee ook antwoord op de vraag die Akimbo zo graag had willen stellen.

'We vangen ze in een net,' ging John verder, en toen wendde hij zich tot Akimbo's vader. 'Ik wil graag drie of vier van jouw mannen meenemen,' zei hij. 'En misschien heb je zelf ook wel zin om te helpen?'

Akimbo's vader stak vol afschuw zijn handen omhoog. 'Nou nee, bedankt,' zei hij. 'Maar ik weet zeker dat een aantal mannen je graag zal helpen,' voegde hij er vlug aan toe.

Akimbo greep zijn kans: 'En ik ook,' flapte hij eruit. 'Ik zou het heel leuk vinden om mee te gaan.'

Het was even stil aan tafel. De krokodillenman draaide zich om en keek Akimbo aan.

'Weet je het zeker?' vroeg hij. 'Van mij mag je gerust meekomen om te kijken.'

'Heel graag,' zei Akimbo zo snel hij kon, en daarna keek hij aarzelend naar zijn vader.

Akimbo's vader slaakte een zucht. Ze hadden al eerder zo'n discussie gehad, toen Akimbo per se met hem mee had gewild om een losgeslagen leeuw te vangen die vee aanviel aan de rand van het wildpark. Aan het eind van dat avontuur had Akimbo een eenzaam leeuwenwelpje mee naar huis genomen. Zou er straks een krokodil door het huis scharrelen?

'Alsjeblieft?' smeekte Akimbo. 'Mag het, alsjeblieft?'

Akimbo's vader keek naar de krokodillenman en toen weer naar zijn zoon.

'Goed dan,' zei hij. 'Als je straks maar niet met een klein krokodilletje aan komt zetten, hè, denk erom.'

'Dat beloof ik,' zei Akimbo.

'En ik wil niet dat er een stuk van je lijf wordt gebeten!' zei Akimbo's moeder streng. 'Nog geen pink!'

'Ik beloof dat dat ook niet zal gebeuren,' zei John met twinkelende ogen.

En daarmee was het voor elkaar. Akimbo mocht mee met het team van de krokodillenman.

Het begin van een gevaarlijke zoektocht

De volgende ochtend gingen ze op pad, met z'n tweetjes: Akimbo en zijn nieuwe vriend John. Het was een zonnige, warme ochtend en terwijl ze over de oneffen savanneweg reden, schrokken er allerlei dieren op die voor het te heet werd op zoek waren naar voedsel. Ze zagen bavianen, verschillende groepen wrattenzwijnen en toen ze een hoek om gingen, denderde er een neushoorn het struikgewas in.

Ondertussen vertelde John Akimbo van alles over krokodillen.

'Als je me gaat helpen met mijn krokodillen,' zei hij, 'dan moet je er ook wat van af weten.'

Akimbo wilde zoveel mogelijk leren en John vertelde hem een heleboel over het leven van de vreemde reptielen.

'Ze zijn net als andere dieren,' legde hij uit. 'Ze zijn het grootste deel van hun leven bezig met voedsel zoeken en warm blijven.'

'Dus daarom liggen ze in de zon,' zei Akimbo. Hij had op de zandbanken in de rivier wel eens krokodillen zien liggen bakken in de zon als zonaanbidders op het strand.

John knikte. 'Ze zijn koudbloedig,' vertelde hij. 'Ze moeten de warmte van de zon opslaan. Daarom liggen ze zo stil. Ze willen geen energie verspillen.'

Akimbo kwam nog veel meer te weten. John legde uit hoe de krokodil zijn prooi ving door hem tussen zijn grote kaken te klemmen en dan heen en weer te schudden om het vlees eraf te scheuren.

'Ze hebben geweldig sterke kaken,' zei hij, 'maar alle kracht is gericht op het laten dichtklappen daarvan. De spieren waarmee de bek opengaat zijn veel zwakker.'

Akimbo vond het allemaal ontzettend interessant. Hij had niet beseft dat er zo veel te leren viel over krokodillen, en hij kon nauwelijks wachten tot ze bij de rivier waren en hun zoektocht zouden beginnen.

Ze stopten een flink eind voor het water.

'Ik wil ze niet laten schrikken,' legde John uit. 'We moeten het laatste stuk lopen en heel zacht praten. Dan kunnen we de krokodillen waarschijnlijk zien zonnen, als ze er zijn.'

Ze parkeerden de auto in de schaduw van een paar bomen om hem koel te houden. Toen leidde John Akimbo zo stilletjes mogelijk door het dichte struikgewas dat hen van de waterkant scheidde. Akimbo lette heel goed op waar hij zijn voeten neerzette – zijn vader had hem geleerd dat dat de truc was om geruisloos door de wildernis te sluipen. Er lagen altijd wel twijgjes en takken die hard konden knappen als je erop stapte.

De rivier was op dit punt behoorlijk breed en stroomde

traag en loom langs de met riet begroeide oevers. Hier en daar staken rotsen uit het wateroppervlak, als kleine eilandjes langs een kust. Er waren ook zandbanken, stroken van goudbruin zand die schuin afliepen en in het groene water verdwenen. Daarop lagen krokodillen graag te zonnen, want de banken waren in alle opzichten ideaal: ze boden warmte, een goed uitzicht op wat er allemaal op de rivieroevers gebeurde en als er gevaar dreigde, konden de krokodillen snel het water in vluchten.

John zakte door zijn knieën en gebaarde dat Akimbo dat ook moest doen. Ze waren nog steeds een stukje van de waterkant verwijderd, maar wel goed beschut en met een uitstekend uitzicht op een paar zandbanken en de diepe, stilstaande poelen die het water van de brede rivier her en der vormde.

'Dit is de perfecte plek voor ze,' fluisterde John. 'Als we hier een tijdje wachten, krijgen we geheid iets te zien.'

Akimbo ging naast de krokodillenman op de grond zitten en keek voor zich uit naar de rivier. Het water leek zo glad en vredig dat hij zich maar moeilijk kon voorstellen dat er gevaarlijke krokodillen onder het oppervlak loerden. Het leek hem eigenlijk wel fijn om even een lekkere koele duik te nemen! Maar hij hoefde maar naar Johns arm te kijken om weer te weten dat het geen goed idee was om hier te gaan zwemmen.

Heel lang leek er niets te gebeuren. Akimbo begon zich al af te vragen of ze ooit nog iets te zien zouden krijgen, maar

John leek het helemaal niet erg te vinden om daar geduldig te zitten, naar de rivier te kijken en op de sappige groene grasspriet te kauwen die hij had geplukt.

Akimbo's aandacht was even verslapt en hij keek net naar een stel kwetterende vogels hoog in een boom, toen hij John aan zijn mouw voelde trekken.

'Daar!' zei de man heel zacht. 'Aan de overkant!'

Akimbo volgde Johns vinger. Aan de overkant van de rivier, een paar meter van een zandbank vandaan, gleed een donkere vorm langzaam door het water.

'Het zijn er twee,' fluisterde John. 'De andere komt er vlak achteraan.'

Akimbo moest een tijdje zoeken, maar toen zag hij ook de snuit van de tweede krokodil.

Een paar seconden later klommen de twee krokodillen het water uit, de zandbank op. Akimbo hield zijn adem in.

'Ja,' fluisterde John. 'Ze zijn prachtig. Allebei minstens vijf meter lang.'

Akimbo had nog nooit zulke grote krokodillen gezien en kon bijna niet geloven dat ze daar al die tijd al waren geweest, verstopt in de poeltjes of tussen het riet. John en hij keken zwijgend toe hoe de twee gigantische reptielen de zandbank op kropen. Een paar minuten later lagen de krokodillen doodstil met hun grote koppen op het warme zand en hun staarten achter zich uitgestrekt.

'Ze zullen vandaag niet veel meer doen,' zei John terwijl hij overeind kwam. 'We kijken nog even rond en dan gaan we weer naar huis.'

Akimbo stond ook op en ze liepen geluidloos weg van de oever. John ging voorop en lette heel goed op waar hij liep. Hij vermeed bossen riet die te dik waren om doorheen te kunnen gaan en paste ook op dat ze niet te dicht bij het water kwamen.

Na een tijdje week het riet voor hen uiteen en stonden ze

aan de rand van een brede zandbank. Ze bleven staan om te kijken of er geen krokodillen op lagen en toen ging John weer verder, gevolgd door Akimbo.

Akimbo wist niet precies waar John naar zocht, maar wat het ook was, hij had het al snel gevonden.

'Kijk daar eens,' zei John terwijl hij naar het zand voor hem wees. 'Daar waren we naar op zoek.'

Akimbo keek naar het vochtige zand. Vlak voor hun voeten lag een klein bergje, met sporen in het zand ernaast, alsof er een beest aan had gekrabbeld. Verder kon hij aan niets zien wat het was.

'Dat is een krokodillennest,' zei John terwijl hij over zijn schouder naar de rivier keek. 'Als je nog nooit een krokodillenei gezien hebt, dan wordt dit je eerste keer!'

Heel voorzichtig, alsof hij een kostbare schat opgroef, veegde John het zand van de bovenkant van het nest. Er lag geen dikke laag op en algauw zag Akimbo het eerste wit van de eierschalen.

John pakte een van de eieren en vouwde zijn handen er behoedzaam omheen. Hij tikte er zachtjes tegen en keek ernaar in het zonlicht. Toen hield hij het bij zijn oor en schudde ermee.

'Er zit een klein krokodilletje in,' zei hij. 'En die komt er over een paar dagen al uit.'

Akimbo keek hoe John het ei teruglegde en het nest zorgvuldig weer met zand bedekte. Na een paar minuten zag het nest er weer precies zo uit als ze het hadden gevonden. Niemand zou ooit vermoeden dat het aangeraakt was.

John kwam overeind en klopte het zand van zijn handen. 'Mooi,' zei hij. 'Ons werk van vandaag zit erop. Morgen komen we terug, dan richten we een observatiepost in om te kijken hoe die kleintjes uit het ei komen. Dan proberen we ze te merken, en de moeder ook. Op die manier kunnen we precies bijhouden wat er met alle krokodillen gebeurt.'

Bijna duizelig van opwinding liep Akimbo achter John aan naar de auto. Hij vroeg zich af of de moeder een van die enorme krokodillen was die hij stroomafwaarts op de zandbank had zien zonnebaden. Het zou vast niet zo moeilijk zijn om de babykrokodilletjes te merken, dacht hij, maar de moeder leek hem een heel ander verhaal.

Ze kwamen pas heel laat op de avond weer thuis. Akimbo wilde zijn vader vertellen wat hij allemaal had meegemaakt, maar hij was gewoon te uitgeput. De volgende ochtend bracht hij bij het ontbijt uitvoerig verslag uit over wat ze hadden gedaan en hij beschreef glunderend hoe groot de twee zonnende krokodillen waren geweest.

'Ik vind het maar niks,' zei Akimbo's vader. 'Weet je zeker dat je terug wilt?'

Akimbo knikte. 'Er is ook een nest,' zei hij. 'We gaan kijken hoe de kleintjes uit het ei komen.'

John en Akimbo vertrokken later die dag. Er gingen vier wildopzichters mee, en in de laadbak van de vrachtauto lag een in Akimbo's ogen enorme berg voorraden. Tenten, netten, dikke touwen en heel veel bijzondere spullen waarvan Akimbo niet wist wat het waren.

Toen ze bij de rivier waren, moesten ze een paar keer heen en weer lopen om alles uit de auto naar de zandbank te dragen waar ze het nest hadden ontdekt. Het was zwaar werk in de hitte, maar uiteindelijk lagen alle spullen bij elkaar en konden ze aan de slag.

Eerst werden er twee tenten opgezet op een plek vanwaar ze de zandbank konden zien. Daarna inspecteerde John de zandbank en brachten ze de netten en touwen naar het dichte riet eromheen. Ze rolden de netten uit, legden ze op een plek waar ze ze snel konden pakken en deden dat daarna ook met de touwen.

Na een uur leek John tevreden over de voorbereidingen. Hij riep de mannen bij zich en gaf hun allemaal instructies. Akimbo moest in de tent blijven, zei hij, als ze met de netten in de weer gingen. Maar hij mocht wel helpen met het merken van de babykrokodilletjes.

'Ze hebben heel kleine tandjes,' zei John. 'Daarmee kunnen ze je nog niet echt bijten.'

Toen alles klaar was, liepen ze terug naar de tenten en kropen naar binnen, blij met de schaduw. Nu konden ze alleen nog maar afwachten.

Een van de mannen zag de krokodil het eerst. Hij fluisterde iets tegen John, die naar buiten keek en knikte. Akimbo gluurde door de opening van de tent en zag een zwarte vorm aan de rand van de zandbank, net onder het wateroppervlak. Hij wist dat het een krokodil was, en een grote ook.

John en de mannen slopen de tent uit en verdwenen al snel tussen het riet. Akimbo keek met bonkend hart toe hoe de krokodil de zandbank op kroop. Ze stopte vlak voor het nest en leek heel stil te blijven liggen, alsof ze het bewaakte. Het is vast de moeder, dacht Akimbo. Had ze gemerkt dat er iemand aan het nest had gezeten?

Een paar minuten gebeurde er niets. Toen zag Akimbo de rietpluimen aan de andere kant van de zandbank bewegen. Hij zag de hoofden van twee mannen en hij meende ook een stukje net te zien. Toen verscheen Johns hoofd tegenover hen. Akimbo hield zijn adem in. Er ging nu vast heel gauw iets gebeuren, al wist hij niet goed wat.

Plotseling klonk er een schreeuw en Akimbo zag hoe de krokodil zich met een ruk omdraaide om naar de waterkant te vluchten. Ze zou maar een paar seconden nodig hebben om weer in een veilige omgeving te belanden, maar in die tijd was John al met een van de netten in zijn hand over het zand gerend.

De krokodil liep door, maar het was al te laat en ze schoot rechtstreeks het net in. Toen kwamen de twee andere mannen tevoorschijn om nog een net over het spartelende dier te gooien.

Het leek wel alsof de hele zandbank bewoog. De krokodil kronkelde en sloeg woest met haar staart, maar daardoor raakte ze alleen maar meer verstrikt in het net. Ze kon niet meer ontsnappen.

John liep met een touw naar de krokodil toe en begon dat om haar staart te winden. Iemand anders bracht nog meer touw en algauw was het tegenstribbelende beest met net en al stevig vastgebonden, zodat ze echt geen kant meer op kon.

John keek op en wenkte Akimbo.

'Het is veilig, hoor,' riep hij. 'Ze kan niets meer beginnen.'

Akimbo rende over de zandbank en ging naast John staan terwijl ze hun machteloze gevangene bestudeerden, die nog steeds lag te kronkelen. Er was een touw om haar bek gewikkeld zodat ze die niet meer open kon doen. Haar staart was ook vastgebonden, hoewel die zich nog steeds zwiepend tegen de boeien verzette.

'We moeten geen tijd verspillen,' zei John. 'We willen haar geen pijn doen.'

Met die woorden pakte hij een merkwaardig stuk gereedschap dat naast hem lag. Dit was het merkapparaat, en John knipte er vlug een metalen merkstrip mee af. Toen liep hij behoedzaam naar de krokodil toe en koos een van de ribbels op haar staart uit waar hij het merkje aan vastmaakte.

'Doet dat geen pijn?' vroeg Akimbo.

'Ze voelt er helemaal niets van,' stelde John hem gerust. 'Maar ze is voortaan wel gemerkt.'

John stapte weg bij de krokodil.

'Goed,' zei hij. 'Nu komt het moeilijkste gedeelte. Akimbo, ga maar een flink eind achteruit, want we gaan haar vrijlaten.'

Het viel niet mee om de boze krokodil uit de touwen te

bevrijden, maar uiteindelijk werd ook het laatste stuk net weggesleept en merkte het reptiel dat ze weer los was. Met een hard gesis schoot ze ervandoor en dook met een plons de rivier in.

John gebaarde naar de mannen dat ze konden gaan, en samen liepen ze de zandbank af, terug naar de tent.

'Nu moeten we wachten tot de eieren uitkomen,' legde John aan Akimbo uit. 'En dat wordt heel leuk.'

De babykrokodilletjes komen uit het ei

Ze hadden voor vier dagen proviand meegenomen. John dacht dat de eieren snel zouden uitkomen, maar hij wist het niet zeker.

'We kunnen alleen maar afwachten,' zei hij. 'Op een gegeven moment gebeurt het vanzelf.'

Die dag kwamen de eieren niet uit, en die avond ook niet. 's Nachts kroop er om de twee uur iemand naar de zandbank om te zien of er al iets was gebeurd. Maar ze konden elke keer alleen maar melden dat het zandhoopje er nog precies hetzelfde bij lag.

Eerst probeerde Akimbo wakker te blijven zodat hij niets zou missen, maar John beloofde hem dat hij hem zou wekken als er iets gebeurde. Toen Akimbo de volgende ochtend wakker werd van de eerste zonnestralen die door de tentopening piepten, kwam een van de mannen net terug van de zandbank.

'Niets,' zei hij hoofdschuddend. 'Helemaal niets.'

Ze bleven de wacht houden. Halverwege de ochtend dronken ze de thee die een van de mannen had gezet, en 's middags aten ze hun lunch op. En toen, terwijl de pannen waarin de mannen de maïsmaaltijd hadden gekookt werden opgeruimd, hoorde Akimbo John opeens zachtjes fluiten.

'Goed, jongens,' zei hij. 'Het gaat beginnen.'

Ze liepen zo snel mogelijk naar de zandbank, maar ondanks hun haast hadden ze het eerste krokodilletje al gemist. Een deel van het zand dat over het nest lag, was opzij geduwd en de dop van een gebroken, leeg ei lag midden in de zon.

Ze gingen rond het nest staan en keken naar het wonder dat zich recht voor hun neus voltrok. Het volgende ei ging open: er kwam een barst in de bovenkant, waardoor ze het worstelende, slijmerige beestje zagen dat erin zat. Toen verscheen er een snuitje, het puntje van een staart, en vlak daarna krabbelde er een heel, volmaakt minikrokodilletje het zand op.

John bukte zich en pakte het piepkleine beestje op. Hij hield vakkundig het happende bekje dicht en bevestigde een klein, glimmend merkteken aan de staart. Het duurde maar een paar seconden en toen zette hij het dier weer op het zand, waarna het snel het water in schoot.

Het ging allemaal heel soepel. Alle eieren lagen nu bloot, en binnen een uur barstten ze allemaal open. De jonge krokodilletjes werden allemaal gemerkt en met hun neus naar het water gezet, zodat ze meteen de rivier in konden rennen. Een paar eieren kwamen niet uit. Die waren volgens John niet bevrucht en werden zorgvuldig ingepakt zodat hij ze kon onderzoeken.

Terwijl John aan het werk was, hielden twee van de mannen de wacht aan het eind van de zandbank.

'De moeder moet in de buurt zijn,' zei John. 'Maar ze durft waarschijnlijk niet tevoorschijn te komen, omdat we met zoveel zijn.'

Toen alle babykrokodilletjes gemerkt waren, schreef John, die ze allemaal had geteld, iets in een boek en daarna zocht hij zijn spullen bij elkaar. Het was tijd om te gaan, om de tent in te pakken en de krokodillen weer met rust te laten – voorlopig tenminste.

'We kunnen morgen terugkomen,' zei John tegen Akimbo. 'Als we heel goed zoeken, zien we de kleintjes misschien wel langs de rand van de rivier. Zou je dat leuk vinden?'

Akimbo zei ja. Hij had het heel bijzonder gevonden om te zien hoe de kleine krokodilletjes de wijde wereld in kropen, en hij hoopte vurig dat ze morgen allemaal nog zouden leven. John had uitgelegd dat er die eerste dagen allerlei gevaren dreigden voor de krokodilletjes. Ze konden zelfs opgegeten worden door grote vogels, zei hij. Een reiger kon een net uit het ei gekropen krokodilletje zó uit het water grissen en doorslikken, net als hij met een vis zou doen.

'Hun moeder kan ze wel een beetje beschermen,' ging hij verder. 'Wist je dat de jonkies zich de eerste dagen vaak in haar bek verschuilen?'

Akimbo kon zich dat maar moeilijk voorstellen. Als hij op zoek zou zijn naar een schuilplaats, was de muil van een krokodil wel de laatste plek waar hij zou gaan zitten!

Krokodillenaanval

De volgende dag gingen ze terug naar de rivier, zonder de mannen van het opzichterskantoor. Het was beter als ze alleen gingen, zei John, want met meer mensen maakten ze ook meer herrie en dan was de kans kleiner dat ze de krokodillen zouden zien. Bovendien was John van plan om met zijn opblaasboot de rivier op te gaan, en daar pasten maar twee mensen in.

Akimbo vond het heel spannend dat ze zouden gaan varen, en hij vond het al helemaal geweldig toen John zei dat hij als eerste mocht roeien.

'Rustig aan,' zei John. 'We hebben geen haast en we willen natuurlijk niet in het water belanden!'

Ze tilden het bootje de rivier in, en terwijl John de boeg vasthield, liep Akimbo tot aan zijn knieën het water in en klauterde aan boord. John kwam achter hem aan en duwde hen toen met de metalen peddel van de oever af. Algauw kwam het bootje in de lichte stroming van de rivier terecht, die hen langzaam stroomafwaarts voerde.

Akimbo merkte dat het roeien moeilijker was dan hij had gedacht. Maar hij had het snel onder de knie en roeide hen toen langzaam tegen de stroom in de rivier op. Ze bleven in het midden, ver van de rotsen en ondiepe stukken, en keken hoe de met riet bedekte oevers langzaam voorbijgleden.

Tegen de tijd dat ze vlak bij de zandbank waren waar het nest had gelegen, waren Akimbo's armen moe van het roeien en hij gaf de riemen zonder morren aan John.

John stak de roeispanen zo soepel in het water dat je nauwelijks een rimpeling zag. Hij tuurde ingespannen naar de waterkant en begon plotseling verwoed naar Akimbo te gebaren.

'Daar heb je ze,' fluisterde hij, wijzend naar een bosje riet langs de oever.

Akimbo staarde naar de kant, maar hij zag niets. Toen begon er plotseling iets te bewegen, en toen nog iets. Ondertussen had John de boot gedraaid en hij stuurde nu langzaam op de oever aan. De boot gleed het riet in en John gaf een van de peddels aan Akimbo. Toen schoot zijn hand opeens razendsnel de rivier in en hij griste een glinsterend krokodilletje uit het water.

Hij liet het beestje aan Akimbo zien en wees naar zijn staart. Daar zat het merkje, nog keurig op zijn plek, zodat ze zeker wisten dat het een van hun krokodillen was.

'Deze heeft het overleefd tot de tweede dag,' zei John lachend terwijl hij het krokodilletje weer in het water liet glijden. 'Zet 'm op!'

Vlak daarna vonden ze nog drie andere, en toen pakte John de riemen weer beet en roeide de boot naar het midden van de rivier. Ze voeren stilletjes nog verder stroomopwaarts, want John hoopte dat ze daar op andere zandbanken nog meer krokodillen zouden vinden. Maar voorlopig leken de rivieroevers verlaten, hoewel Akimbo maar al te goed wist dat dat niet betekende dat er geen krokodillen in de buurt waren.

Ze hadden al een paar bochten in de rivier gehad, toen ze bij het eiland kwamen. Op dit punt werd de rivier een stuk breder en op sommige plekken was ze erg ondiep. Het eiland was niet groot, maar flink begroeid. Er stond onder andere een groepje hoge, dichtbebladerde bomen op. John was opgetogen dat ze het hadden gevonden en roeide de boot snel naar een modderig strandje halverwege het eiland.

Ze trokken de boot het strand op en klommen van boord om de omgeving te verkennen. John wilde kijken of er ergens zanderige plekjes waren waar krokodillen eieren zouden kunnen leggen. Akimbo wilde van de ene kant van het eiland naar de andere lopen, gewoon om te zien hoe dat was.

'Pas op voor slangen,' waarschuwde John terwijl Akimbo naar de rotsrichel wandelde die over de lengte van het eiland liep. 'Je mag gerust even rondkijken, als je daarna maar weer terugkomt.'

Akimbo klom de richel op en keek naar beneden. John had de boot op het modderige strand laten liggen en baande zich een weg door het riet, op zoek naar sporen van krokodillen.

Akimbo draaide zich om en begon aan zijn verkenningstocht over het eiland. Er bleek niet zoveel te zien. Er waren geen dieren, hoewel hij op een gegeven moment wel een stel apen meende te bespeuren in een boom, en er waren geen interessante rotsen of grotten. Alles bij elkaar, dacht hij toen hij bij de punt van het eiland kwam en zich omdraaide, was het maar een saaie plek.

Op dat moment hoorde hij de kreet. Het was een schreeuw, een gil, en die kwam van de andere kant van het eiland. Akimbo bleef stokstijf staan en luisterde, maar nu hoorde hij alleen nog het getsjirp van de cicaden en het geroep van de vogels. Toen hoorde hij weer een kreet en dit keer wist Akimbo wat het was.

Als een bezetene rende hij blindelings door het struikgewas, terwijl zijn hart de angst door zijn armen en benen liet bonken. Binnen een paar minuten was hij bij de plek vanwaar hij was vertrokken. En daar, onder hem, zag hij John, half in de rivier en half op het droge. De man lag schreeuwend in het schuimende water te spartelen.

Akimbo sprong struikelend van de richel en stak zijn arm uit om zijn vriend te pakken. Hij wist wat er aan de hand was, maar hij wist niet goed wat hij moest doen.

'De peddel!' schreeuwde John. 'Pak de peddel!'

Akimbo draaide zich razendsnel om en pakte de peddel die naast de boot lag. In een flits zag hij dat de boot helemaal kapotgescheurd was: het ding was nu een groot, leeggelopen stuk rubber.

Akimbo greep de roeispaan stevig beet, hief hem hoog in de lucht en liet hem met alle kracht die hij in zich had op de kronkelende donkere gedaante neerkomen die zich aan

Johns been gehecht leek te hebben. Er klonk een doffe bonk en hij voelde de schok toen hij het dier raakte. Akimbo tilde de peddel nog een keer op en liet hem weer op zijn allerhardst neerkomen.

Bij de tweede klap leek de gedaante met een ruk naar achteren te bewegen en verdween toen in het schuimende, kolkende water. De rivier werd weer kalm en Akimbo zag hoe John wankelend uit het ondiepe water kroop waar hij met zijn belager had liggen worstelen. Toen John de modderige oever had bereikt, zakte hij door zijn knieën en schoof achterwaarts nog een paar centimeter door tot zijn hele lijf op het droge lag.

Akimbo knielde neer naast zijn vriend. Hij keek naar diens been en zag dat er een vreselijke wond in zat. Er stroomde felrood bloed uit, dat de modder naast het gewonde been besmeurde. Zonder aarzelen trok Akimbo zijn

T-shirt uit en bond het om de wond. Hij trok de knoop zo strak mogelijk aan om het bloeden te stoppen.

'Dank je wel,' zei John gesmoord en bibberig. 'Je kwam net op tijd.'

Het verband leek te werken, want er kwam nu nog maar een dun straaltje bloed onderuit. John probeerde overeind te komen, maar hij kon niet op zijn gewonde been staan en viel terug in de modder.

'Het gaat niet,' zei hij. 'Ik ben bang dat mijn been gebroken is.'

Akimbo keek naar de boot en John schudde treurig zijn hoofd.

'De krokodil viel me aan toen ik de boot weer in het water wilde leggen,' zei hij. 'Ik wilde naar de andere kant varen om jou daar op te pikken. Hij kreeg me te pakken toen ik de boot het water in trok.'

Akimbo keek nog eens naar het gewonde been. John moest snel hulp krijgen, want de wond bloedde nog steeds. Maar nu de boot vernield was, leek het onmogelijk om die hulp te gaan halen. Zouden ze het uit kunnen zitten? Hoe lang zou het duren voor ze gevonden werden door een reddingsteam? Misschien wel twee dagen, of zelfs nog langer. En als het zo lang duurde, zou John die verschrikkelijke krokodillenbeet dan wel overleven?

Akimbo dacht van niet. Er zat niets anders op: hij moest hulp gaan halen.

Een gevaarlijke zwemtocht

'Ik zwem naar de overkant,' zei Akimbo. 'Dan loop ik langs de rivier naar de auto. Ik weet zeker dat ik die kan besturen.'

John schudde zijn hoofd. 'Jij gaat dat water niet in,' zei hij beslist. 'Dat haal je nooit. Er zitten hier veel te veel krokodillen.'

'Maar ik zwem heel snel,' zei Akimbo. 'Ik kan goed zwemmen.'

John verhief zijn stem, deels van de pijn maar ook om Akimbo te laten merken dat hij het meende toen hij zei dat het niet mocht. 'Nee,' zei hij. 'Ik wil het niet hebben. Je haalt het niet.'

Akimbo keek over de rivier. Misschien was er ergens een plek waar het ondiep genoeg was om naar de overkant te kunnen lopen, of waar stenen onder water lagen. Maar hoewel de rivier niet overal erg diep was, was ze ook weer niet zo óndiep. De enige manier om naar de overkant te komen was zwemmend, of... Akimbo glimlachte. Ja! Hij dacht aan de afgebroken tak die hij een eindje terug op de richel had zien liggen. Hij had erover heen moeten springen en toen nog gedacht dat je daar een mooie kano van zou kunnen maken.

Hij draaide zich om naar John en legde enthousiast zijn plan uit. Hij zou de tak naar de oever kunnen rollen om hem daar in het water te leggen. Het was misschien geen perfecte boot, maar hij zou wel blijven drijven. De roeispaan had de aanvaring met de krokodil overleefd, dus die kon hij gebruiken om de tak naar de andere kant te peddelen.

John keek bedenkelijk. 'Dan hangen je benen alsnog in het water,' zei hij. 'En het zal niet meevallen om die tak de goede kant op te sturen. Straks drijf je uren stroomafwaarts.'

'Het is maar een klein stukje,' wierp Akimbo tegen. 'Ik weet zeker dat het gaat lukken.'

Hij keek naar Johns gewonde been. Er sijpelde bloed door het verband.

'Ik moet hulp gaan halen,' zei Akimbo. 'Er is gewoon geen andere oplossing.'

John kromp even in elkaar van de pijn. Hij wist dat Akimbo gelijk had en gaf uiteindelijk een onwillig knikje om aan te geven dat hij het ermee eens was.

Akimbo ging meteen aan de slag. Hij rende de richel op,

vond de afgebroken tak en sleepte die met moeite naar de oever. Het viel niet mee, en de ruwe bast van de tak deed pijn aan zijn handen, maar uiteindelijk lag de tak bij de rivier, half drijvend en half onder water.

Akimbo zorgde ervoor dat John zo lekker mogelijk lag. Toen pakte hij de peddel, waadde heel voorzichtig het water in en klom op zijn geïmproviseerde boot.

John had gelijk gehad over het besturen van het stuk hout. Het was veel moeilijker dan Akimbo had gedacht en de eerste inspanningen van Akimbo leken geen enkel effect te hebben op de drijvende tak. Toen kreeg hij er heel langzaam vat op en de jongen en zijn opvallende boot kropen langzaam de brede rivier op.

Akimbo had eigenlijk helemaal geen tijd om na te denken over het gevaar waarin hij verkeerde. Hij moest zich tot het uiterste concentreren om te blijven zitten, want de tak leek met de stroming mee te willen rollen. Als ik in het water val, ben ik er geweest, dacht hij.

Hij probeerde niet aan de enorme krokodillen te denken die ze een paar dagen eerder op de zandbank hadden zien liggen. Hij probeerde ook vooràl niet te denken aan wat er op dit moment onder hem in het water zou kunnen zwemmen. Maar hij kon de angst niet onderdrukken en Akimbo was banger dan hij ooit was geweest.

Na een paar minuten lag de tak midden in de rivier. De stroming was hier sterker en Akimbo voelde hoe de voorkant van het stuk hout langzaam stroomafwaarts kwam te liggen. Hij roeide nog harder om te proberen de tak weer naar de oever te laten wijzen, maar daardoor begon het hout alleen maar woester te dobberen. Hij hield even op met roeien en de tak lag weer stil.

Toen draaide de tak opeens naar de zijkant. Misschien had Akimbo een verkeerde beweging gemaakt of was hij onder water tegen iets op gebotst, maar hij werd er in elk geval door verrast en voelde hoe hij zijn evenwicht verloor. Hij trok de roeispaan naar de andere kant in een verwoede poging overeind te blijven, maar het was te laat en hij voelde hoe hij omkieperde.

Akimbo viel met een plons in het water en ging kopje onder in de rivier. Het stuk hout schoot omhoog nu het zijn gewicht niet meer hoefde te torsen en werd snel door de stroming meegevoerd.

Spartelend kwam Akimbo boven. Hij was de tak kwijt, hij was de peddel kwijt en in een afschuwelijk helder ogenblik besefte hij dat hij helemaal alleen was in een rivier vol krokodillen.

Instinctief begon hij naar de kant te zwemmen, vechtend

tegen de paniek die hij voelde opborrelen. Hij probeerde zo rustig mogelijk te bewegen en niet te veel gespetter te veroorzaken met zijn handen. Hij wist dat opvallende geluiden of bewegingen krokodillen konden aantrekken, dus als hij zo soepel mogelijk door het water gleed, maakte hij misschien nog een kans.

Er streek iets langs Akimbo's been en heel even verstijfde hij, zodat hij doodsbang naar beneden zonk. Maar er gebeurde niets. Hij wist niet wat hij had aangeraakt, maar het kon van alles zijn: een vis, een waterplant, een gezonken tak. Hij zwom weer verder, hoewel de oever nog altijd even ver weg leek.

Plotseling voelde Akimbo grond onder zijn voeten. Het was zachte, glibberige modder, maar zijn hart bonkte bijna uit zijn borstkas van geluk. Hij liep half zwemmend naar voren en was algauw het water uit. Hij kon nauwelijks geloven dat hij het gehaald had.

Hij bleef een paar minuten op de oever zitten om uit te rusten en weer op krachten te komen. Toen stond hij op en begon aan de lange tocht naar de auto.

Hulp halen

Akimbo rende zo snel hij kon door het dichte struikgewas. Scherpe takken sloegen tegen zijn lijf en doornen maakten krassen in zijn huid, maar hij voelde niets. Met een hamerend hart dwong hij zichzelf nog harder te rennen en hij lette niet op de steek die als een naald in zijn zij prikte. Uiteindelijk kon hij niet meer en hij stond stil om even uit te rusten. Toen hij achterom keek, kreeg hij het gevoel dat hij nauwelijks vooruitgekomen was.

'Met een boot ben je er zo,' zei hij tegen zichzelf. 'Maar te voet duurt het vijf keer zo lang.'

Hijgend bleef hij nog even staan tot hij weer op adem was gekomen. Toen zijn hart wat minder bonkte liep hij weer verder. Hij hield de rivieroever steeds in het oog maar bleef uit de buurt van het dichte riet langs de waterkant. Hij was een stuk van een van zijn schoenzolen kwijtgeraakt en zijn voet deed pijn bij elke stap. Hij probeerde zijn gewicht zoveel mogelijk op zijn andere been te zetten, maar daardoor ging hij alleen maar langzamer. Ten slotte bukte hij zich om zijn veters los te maken, trok beide schoenen uit en ging op blote voeten verder.

Akimbo worstelde zich bijna een uur lang een weg door het dichte bos tot eindelijk net – toen hij dacht dat hij het misschien wel nooit zou halen – in de verte het groepje bomen opdook waar de auto bij stond. Hij versnelde zijn pas, sprong over de smalle, overwoekerde geulen die door de grond liepen en lette niet op de scherpe stenen die in zijn voetzolen prikten.

'Ik haal het wel,' mompelde hij binnensmonds. 'Ik kom je redden, John!'

De auto stond half in de schaduw en half in de zon en het was binnen gloeiend heet geworden. Toen Akimbo het portier van de cabine opendeed, sloeg de hitte hem in het gezicht. Hij gleed achter het stuur en trok het portier achter zich dicht. Toen stak hij zijn hand uit om de motor te starten.

Op dat moment deed hij een verschrikkelijke ontdekking: er was geen sleutel. Heel even werd het zwart voor zijn ogen. Hoe had hij daar nou niet aan kunnen denken? Hoe had hij zo stom kunnen zijn? De sleutel zat hoogstwaarschijnlijk in Johns broekzak – waarom had Akimbo die niet aan hem gevraagd? John had het zelf vast allang bedacht.

Misschien had hij Akimbo zelfs wel nageroepen om hem eraan te herinneren maar had Akimbo dat niet gehoord.

Akimbo boog zich met ogen vol tranen voorover. Nu zou hij John nooit meer kunnen redden. Als hij het hele eind terug zou rennen om de sleutel te halen – waar hij veel langer over zou doen nu hij zo moe was – zou hij ook weer helemaal hiernaartoe moeten lopen. En dan was het waarschijnlijk te laat om John nog te redden, en dat zou allemaal zijn schuld zijn omdat hij niet eens aan zoiets simpels als een autosleutel had gedacht.

Terwijl dat door zijn hoofd spookte, kwam er een herinnering bij hem boven. Het was de stem van zijn vader, die zei wat hij al eens eerder tegen hem had gezegd, toen ze een probleem hadden gehad waar geen oplossing voor leek te zijn.

'Je moet het nooit opgeven,' had zijn vader gezegd. 'Probeer andere manieren te bedenken om te doen wat je moet doen. Het zal je verbazen hoe vaak het werkt!'

Akimbo kon de stem van zijn vader bijna echt horen: *probeer andere manieren te bedenken om te doen wat je moet doen.* Ja! Er was inderdaad een andere manier, maar zou hij die kunnen uitvoeren? Akimbo had geen idee, maar hij kon het in elk geval proberen.

Akimbo wist nog dat hij een keer gezien had hoe een van de assistenten van zijn vader zonder sleutel een auto had gestart. Hij had dat erg interessant gevonden en heel goed opgelet, en het had hem eigenlijk heel simpel geleken. De man had een kort stukje draad gepakt en twee punten achter het contact met elkaar verbonden. Daarna had hij nog twee andere punten aan elkaar gekoppeld en toen was de motor als bij toverslag zomaar aangeslagen. De man had het heel precies aan Akimbo uitgelegd en aangewezen waar hij de draden in moest steken. Maar wist Akimbo het nog wel?

Al snel had hij in de gereedschapskist van de auto twee korte draadjes gevonden. Toen ging hij op handen en voeten zitten en tuurde onder het dashboard. Het was één grote wirwar van draden, maar algauw zag hij waar de sleutel normaal gesproken het contact in ging en had hij de punten gevonden die met elkaar verbonden moesten worden.

Heel voorzichtig, terwijl hij uit alle macht probeerde zijn handen niet te laten trillen, stak Akimbo de twee uiteindes van een van de draadjes op de juiste plekken. Er klonk een klik en hij zag een lampje achter het dashboard rood oplichten. Dat was de eerste stap, en die had hij goed uitgevoerd. Nu pakte hij het andere draadje en verbond daarmee heel behoedzaam de twee punten van wat volgens hem de startschakelaar was.

Toen de draad de punten raakte, slaakte Akimbo een gil. Hij voelde een zware elektrische schok door zijn vingers en hand lopen, helemaal tot in zijn arm. Ondertussen sloeg de motor aan en tot Akimbo's grote schrik sprong de auto naar voren. Akimbo had het voertuig zo graag aan de praat willen krijgen dat hij was vergeten te controleren of het wel in z'n vrij stond. Nu had hij zijn zin en was de auto gestart, maar ondertussen zat Akimbo op de vloer en draaide het stuur alle kanten op terwijl de auto wegrolde.

Akimbo probeerde zichzelf overeind te trekken. De auto schokte en het viel niet mee, maar uiteindelijk wist hij zichzelf op de stoel te sleuren en kon hij het stuur pakken. De auto had al flink wat vaart gekregen, en door de voorruit zag Akimbo een grote boom opdoemen. Hij wist zeker dat het te laat was, dat hij tegen de boom zou botsen, en hij deed automatisch zijn ogen dicht terwijl hij een ruk aan het stuur gaf.

Er klonk geen misselijkmakende klap. Hij hoorde niet het geluid van metaal dat in elkaar werd gedrukt. Akimbo deed zijn ogen open en zag dat hij de grote boom op een haar na had gemist en nu veilig over een stuk gras hobbelde. Hij trapte de koppeling in, schakelde over op een lagere versnelling en voelde hoe het grote gevaarte op zijn handelingen reageerde. Hij draaide langzaam aan het stuur tot de auto de kant op ging die hij wilde. De auto deed precies wat er van hem werd gevraagd, en voor het eerst sinds de teleurstellende ontdekking dat hij geen sleutel had, kreeg Akimbo weer een beetje hoop dat hij John misschien toch zou kunnen redden.

Na een tijdje vond hij een van de grote wegen die naar het opzichtersdorp leidden. Hij reed zo snel als hij durfde en hoopte vurig dat zijn vader in het dorp zou zijn als hij aankwam. Hij dacht aan John die nu op het eiland lag, met een been dat bonsde van de pijn. Hij stelde zich voor hoe de krokodillen vanuit de schaduwen op hem loerden en afwachtten tot hun slachtoffer zwak genoeg was geworden om een makkelijke prooi te vormen. Akimbo had geen tijd te verliezen.

Hij was pas tien minuten onderweg toen hij een van de andere opzichtersauto's op zich af zag komen rijden. Het was bijna te mooi om waar te zijn! Akimbo reed naar de kant, zette de auto in z'n vrij en trapte op de rem. Toen de andere auto naast hem stopte, slaakte de chauffeur een verbaasde kreet.

'Akimbo! Waar ben jij in hemelsnaam mee bezig?'

Akimbo legde alles zo snel mogelijk uit. Toen liet hij de auto aan de kant van de weg staan en sprong in de andere auto, waarna de chauffeur zijn uiterste best deed om hen in minder dan een halfuur naar de rivieroever te brengen. Ge-

lukkig was hij zelf ook op weg geweest naar de rivier en lag er een opblaasboot in de laadbak van zijn auto. Ze lieten de boot in een recordtijd te water en vonden John half rechtop zittend op de oever van het eiland, zijn gewonde been voor zich uit gestrekt.

Akimbo zag dat John erg veel pijn had, maar toch keek hij ook heel blij.

'Dat is snel,' zei John. 'Ik dacht dat ik veel langer zou moeten wachten.'

'Ik was bang dat de krokodillen je te pakken zouden krijgen,' zei Akimbo. 'Heb je ze gezien?'

'Nee,' zei John. 'Maar ze waren er wel. Volgens mij hadden ze wel zin in een lekker hapje!'

Ze tilden John vlug in de boot en maakten het korte boottochtje naar de overkant. Daarna hielp Akimbo de gewonde man naar de auto te dragen, waar ze hem op een paar lege zakken legden. Toen volgde de snelle rit naar het ziekenhuis, dat bijna tachtig kilometer verderop lag. John lag te hotsen en te botsen in de laadbak, maar gaf geen krimp. Hij glimlachte zelfs toen Akimbo hem uitgebreid vertelde over hoe hij de auto zonder sleutel aan de praat had gekregen.

'Ik heb geen moment aan die sleutel gedacht,' zei John. 'Maar goed dat jij zo technisch bent!'

Ze keken hoe John het kleine ziekenhuisje in de wildernis in werd gereden.

'Het heeft geen zin om te wachten,' zei de opzichter. 'Ze

laten ons wel weten hoe het met hem gaat. Ik weet zeker dat het goed komt!'

En hij had gelijk. De volgende dag kreeg Akimbo een telefoontje van de dokter die meldde dat alles goed ging.

'Het verband heeft het bloeden gestelpt,' zei de arts. 'Zonder dat verband had hij het waarschijnlijk niet gered.'

Drie dagen later nam Akimbo's vader hem mee naar het ziekenhuisje om bij John op bezoek te gaan. Hij zat in een klein kamertje rechtop in bed tegen een aantal dikke kussens en maakte aantekeningen.

'Kijk eens aan!' zei John terwijl hij zijn notitieblok weglegde. 'Mijn redder!'

Akimbo glimlachte bescheiden. 'Het was helemaal niet moeilijk,' zei hij. 'Ik was alleen bang toen ik in het water viel.'

John knikte. 'Ik ben blij dat ik dat niet gezien heb,' zei hij. 'Het wemelde daar werkelijk van de krokodillen.'

'Misschien hadden ze geen honger,' zei Akimbo.

'Of misschien vonden ze me gewoon niet lekker,' zei John vrolijk, 'en hadden ze na die ene hap geen zin meer.'

Ze bleven nog een tijdje praten tot John vroeg of Akimbo het pakje wilde pakken dat op een tafeltje aan de andere kant van de kamer lag.

'Maak maar open,' zei hij. 'Het is voor jou. Een cadeautje om je te bedanken voor wat je hebt gedaan.'

Akimbo scheurde het papier van het pakje en had opeens een groot boek in zijn handen. Op de kaft stonden een plaatje van een krokodil op een rivieroever en Johns naam in grote, zwarte letters. Het was Johns boek over krokodillen, dat Akimbo zo graag had willen lezen.

Akimbo sloeg het boek open. Op de eerste bladzijde stond met grote, handgeschreven letters: 'Voor Akimbo. Dank je wel.' En daaronder stond Johns handtekening.

'Ik kan me voorstellen dat je wel even genoeg hebt van krokodillen,' zei John, 'maar misschien heb je op een dag wel zin om het te lezen.'

'Ik ga er meteen in beginnen,' zei Akimbo.

John dacht even na. 'Als ik volgend jaar terugkom om te kijken hoe het met die gemerkte krokodilletjes gaat,' zei hij, 'wil je me dan weer helpen?'

'Natuurlijk,' zei Akimbo. 'Ik zal er zijn.'

John keek tevreden.

'Ik denk dat jij nog wel eens een heel goede krokodillenman zou kunnen worden,' zei hij lachend.

'Dat zou ik wel willen,' zei Akimbo. 'Dat zou ik echt heel graag willen.'

Lees ook:

ISBN 978 90 475 04016